**DANUZA
LEÃO**
FAZENDO
AS MALAS

DANUZA LEÃO
FAZENDO AS MALAS

2ª edição

COMPANHIA DAS LETRAS

copyright © 2008 by Danuza Leão

capa
WARRAKLOUREIRO

imagem de capa e miolo
FILIPE JARDIM

endereços
LUIZA LEMOS

preparação de texto
MÁRCIA COPOLA

checagem de nomes próprios
ADRIANA CORTEZ

revisão
ISABEL JORGE CURY
CARMEN S. DA COSTA

Dados Internacionais de Catalogação na Publicação (CIP)
(Câmara Brasileira do Livro, SP, Brasil)

Leão, Danuza
Danuza Leão fazendo as malas. — São Paulo :
Companhia das Letras, 2008.

ISBN 978-85-359-1343-9

1. Viagens — Narrativas pessoais I. Título.

08-09766   CDD-910.4

Índices para catálogo sistemático :
1. Relatos de viagens 910.4   2. Viagens: Relatos 910.4

5ª reimpressão

[2010]
Todos os direitos desta edição reservados à
EDITORA SCHWARCZ LTDA.
Rua Bandeira Paulista 702 cj. 32
04532-002 — São Paulo — SP
telefone (11) 3707-3500
fax (11) 3707-3501
www.companhiadasletras.com.br

SUMÁRIO

	8	Insônia
	12	As malas
SEVILHA	18	A Feria de Sevilha
	23	A Judería
	26	Plaza de Toros e a noite de Sevilha
	31	As horas de Sevilha
	37	Um tapa nas *tapas*
LISBOA	42	Primeira noite em Lisboa
	51	Queijadas e pastéis
	55	Como falam e comem os portugueses
	60	Queluz, fado e bochechas de porco
PARIS	66	Paris mudou?
	70	A Paris dos muito ricos
	76	Caviar e George v
	81	Os oásis dos bistrôs
	89	E por falar em sapatos
	91	E a elegância, por onde anda?
	95	Paris muda
	100	Breguice boa
	103	Altas horas
	105	As manchetes do jornaleiro do Café de Flore
	109	Os grandes *magasins*
	112	Brincando de morar em Paris
	117	Meu *quartier* amado
ROMA	124	*Signori* e *signore*, Roma
	130	Um playboy tipicamente italiano
	137	Ave-Maria
	141	E viva Roma
	145	Aviso aos navegantes
	148	Endereços
	157	Agradecimentos

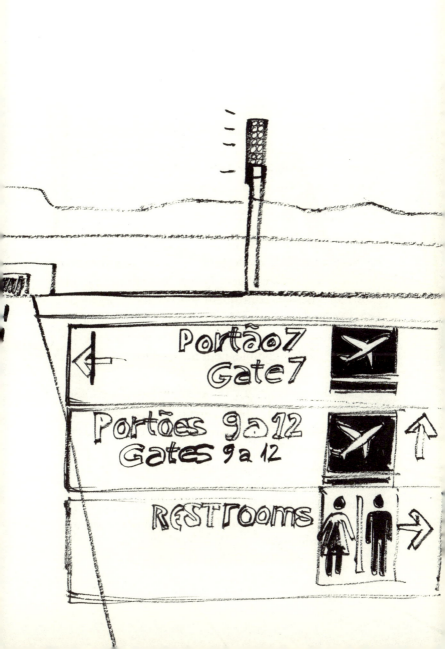

INSÔNIA

Eu sofro de insônia — e *sofrer* é a palavra certa. Acordar todas as noites às três, quatro horas e não conseguir mais dormir é de enlouquecer. Já tentei de tudo: ler, escrever, trocar de lugar os móveis da sala, mas não adianta; o sono não vem.

Ver televisão é perigoso, pois, se o filme for péssimo, como geralmente é, vira tortura; se for bom, corro o risco de ficar acordada até as seis. Não pensar em nada é impossível, e pensar, para quem tem muita imaginação, como eu, pode ser um perigo. Então faço projetos, projetos que juro que vou realizar, que vou levar adiante, e dos quais, na manhã seguinte, nem me lembro.

E invento coisas absurdas: penso em passar seis meses no Marrocos, quebrar uma parede de casa, me mudar para um flat para nunca mais ter que comprar produtos de limpeza, pintar o cabelo de louro, ir morar numa praia deserta, passar uns tempos num mosteiro para descobrir a verdade da vida, comprar um terreno e abrir um estacionamento, planejo como gastar meu dinheiro se ganhar na Mega-Sena, e por aí vou. Só não penso em me dedicar à jardinagem.

Eu não sou uma pessoa forte, fisicamente. Não consigo nem carregar uma cadeira, mas, quando acordo de madrugada, sou capaz de arrastar os móveis mais pesados, nem sei como.

E agora vou confessar: tudo o que eu quero na vida é morar num quarto-e-sala. Aliás, num conjugado. Mas as coisas vão se acumulando, um quarto-e-sala costuma ser mínimo, daí compro apartamentos maiores e vou quebrando as paredes, deixando só dois quartos, um para dormir, outro para minhas roupas — até porque tenho pavor de receber hóspedes e, conseqüentemente, de ser hóspede.

Adoro um hotel, nem que ele seja meia-estrela, para não ter que dar bom-dia, conversar quando quero ficar calada, falar sobre o que fiz na véspera, eventualmente ser induzida a algum programa à tarde — compras, por exemplo. Só gosto de fazer compras sozinha, e, se já erro com a minha cabeça, imagine com alguém me dando palpites e dizendo: "Olha que saia linda". Não, nem pensar.

Mas voltando: uma noite tomei coragem, arrastei todos os móveis da casa e botei a cama na sala. Ficou o máximo! Como só recebo pessoas mais que íntimas, se convidasse essas pessoas para jantar, elas teriam toda a liberdade de se estender em cima da cama, e ficaríamos conversando no maior conforto do mundo.

No dia seguinte à grande mudança, a empregada acordou e não acreditou no que viu. "Mas a senhora vai dormir na sala?" "Vou, sim, e vai ser ótimo." E foi. Só ia ao chamado "lá dentro" para tomar banho e trocar de roupa, e, como moro sozinha, se tivesse que sair do banho nua, ninguém ia me ver, só meus gatos, e esses não estão nem um pouco interessados.

Foi bom enquanto durou, mas havia um problema: como ao lado da minha cama fica meu laptop, os dois telefones, o celular, e, bem perto, a televisão e a geladeira, eu, que já sou preguiçosa, chegava da ginástica e passava o dia ali, na maior felicidade. Comecei a achar que aquilo não era muito saudável.

Curvei-me à opinião geral, e a cama voltou para o quarto, onde agora durmo. Mas botei uma cama igualzinha onde estava a minha (na sala), é nela que passo meus dias, e só vou para o quarto na hora de dormir. Uma solução que todos aprovaram; quando eu dormia na sala, era chamada, no mínimo, de excêntrica.

Nas minhas insônias diárias, às vezes ligo a televisão e tenho a sorte de pegar um filme bom. Numa madrugada de outubro dei com um bem antigo, *E agora brilha o sol* (*The sun also rises*), baseado num romance de Hemingway, com Ava Gardner, Tyrone Power e Errol Flynn. O filme se passava na Espanha e tinha muitas touradas, flamencos, romance, aventura. Lembrei que fazia anos que eu havia estado em Sevilha, na época da Feira (que eles chamam Feria), e me deu uma enorme vontade de voltar — e por que não? Fiquei animada, fui à internet para saber quando seria a Feria do ano seguinte — apesar de ser sempre em abril, a data é móvel, como a do Carnaval.

De posse da preciosa informação, liguei para duas ou três companhias aéreas, dessas benditas que têm um plantão telefônico noturno, e soube que chegar a Sevilha seria fácil, havia um vôo com conexão em Lisboa. Aí pensei: faz tanto tempo que não vou a Lisboa, vou aproveitar para passar uns dias lá. E imediatamente veio outro pensamento: é ridículo não ir também a Paris, afinal, são apenas duas horas de vôo de Lisboa, pouco mais que uma ida e volta daqui do Rio a São Paulo. E, já que iria a Paris, por que não dar um pulinho em Roma, aonde não vou há anos? Veja no que pode resultar uma simples insônia.

Marquei as datas, dividi a passagem em cinco vezes no cartão de crédito, reservei pela internet hotéis que já conhecia, e pronto. Não pensei mais no assunto; o tempo foi passando, e um dia abril chegou. Fiz a mala — as malas — e embarquei em busca de novas emoções.

AS MALAS

Viajar é das melhores coisas que existem; mas, como tudo na vida, tem seus momentos de felicidade absoluta e outros de tortura total. Eu vou para onde quer que seja, embora tenha minhas preferências. Prefiro, por exemplo, viajar em pleno verão ou no mais rigoroso inverno, e sabe por quê? Pela mala.

Não sei se é carma, mas a chamada *demi-saison* para mim é trágica. Como não dá para saber se vai fazer frio ou calor, levo roupa para todas as estações; agora só viajo no inverno, com dois jeans, três camisas, dois suéteres, duas botas e vários, vários casacos de pele. As autorizadas, claro. Ou no verão, só com meus jeans, minhas camisetas, minhas sandálias.

Uma vez viajei numa sexta-feira para passar um fim de semana em Nova York e levei uma sacola com os dois jeans, os dois suéteres etc. A intenção era ficar dois dias de cara lavada, batendo pernas. Eis que no avião encontro um amigo que me convida para um jantar desses bem chiques no sábado. Passei o dia inteiro procurando um vestido, um sapato, as meias, a bolsa, o que nem em Nova York é fácil de encontrar. E a maquiagem? E os cabelos? Praticamente perdi o fim de semana, e jurei que nunca mais. Não adianta, não consigo: mesmo que vá para a Sibéria, levo um biquíni. E se de lá resolver ir até o Caribe? E biquíni lembra sandália, saída-de-praia, filtro solar etc. etc. etc., um problema.

Não sei mesmo viajar com pouca bagagem. Há muitos anos, quando a Vuitton não era mais que uma pequena butique na Avenue Marceau, em Paris, eu gostei da marca. As bolsas e malas não eram tão caras, pois eu, que nem tinha tanto dinheiro, comprei — e tenho ainda — três malas maravilhosas da LV. São aquelas grandes, com cantoneiras e fechaduras douradas, cheias de tachas também douradas (o dourado parece ouro), e que, mesmo vazias, pesam toneladas. Tenho também um grande saco daqueles que os marinheiros (e o homem do anúncio do óleo de fígado de bacalhau) carregavam nas costas, e uma sacola banal, dessas que todo mundo tem. Fora isso, só a carteira de dinheiro e as *trousses* de maquiagem.

Como os produtos Vuitton são de uma qualidade fantástica e não acabam nunca, minhas malas estão como se tivessem sido compradas semana passada, sem um arranhão, e assim vão durar ainda cem anos, cada dia mais bonitas. Mas já não dá para usar a marca. Além de as malas serem extremamente pesadas, o excesso de divulgação fez com que elas se popularizassem mais do que é permitido suportar. Você vê uma esteira no aeroporto, e elas aparecem, todas faceiras (e em geral pertencem a pessoas de gosto mais que duvidoso). Resultado: as malas foram colocadas uma em cima da outra — por felicidade eram de três tamanhos —, e agora enfeitam lindamente minha sala.

Resumo da história: fiquei sem uma só mala, e, como me recuso a comprar uma de náilon preto, fiquei também impossibilitada de viajar, o que considero trágico. Afinal, o que é uma mulher sem malas? Além de tudo, as minhas precisam ser enormes, porque, se levo tanta coisa para passar meras 24 horas em São Paulo, imagine o que não carrego para uma viagem de três semanas. É um absurdo, eu sei, mas é tarde para mudar. Já me aconselharam a levar o mínimo e comprar roupas nas viagens, no entanto, quando eu quero aquele suéter preto, é aquele que eu quero. E onde vou encontrar um igual?

A situação seria catastrófica, mas aconteceu o milagre: descobri umas malas sensacionais, alemãs, da marca Rimowa, de alumínio e com quatro rodinhas, levíssimas, que posso carregar com o dedo mínimo. Essa minha próxima viagem vai ser um arraso de conforto e elegância (porque elas são lindas também).

Mas viajar já foi melhor. Um dia você acordava e recebia um telefonema de um amigo de alguma parte do mundo que dizia: "Vem pra cá". No dia seguinte, você comprava a passagem e ia. Agora, para conseguir um preço mais razoável, é preciso reservar com uma antecedência enorme, idem com os hotéis, se não quiser dormir debaixo da ponte; e, se desejar ir a um restaurante — um daqueles da moda —, tem que agendar três meses antes; quanto aos museus, se não quiser ficar numa fila gigantesca, a mesma coisa. E o imprevisível? E a aventura? Como dizia um autor cujo nome não lembro mais: *"Voyager c'est prendre un chemin sans jamais savoir où on va"*. Viajar é tomar um caminho sem saber aonde ele vai nos levar.

Sei que é um erro, coisa de outros tempos, falta de civilidade, mas este é apenas um dos meus defeitos: a bagagem excessiva. E, como a viagem seria em abril, pior, pois a previsão era de sol e calor em Sevilha, e Paris um pouco frio ainda, excelente desculpa para levar todo tipo de roupa. Foram três malas — que remédio —, todas grandes, e cheias, claro. Mas, como não pretendia comprar nada — nunca pretendo —, levei, segundo meus critérios, o mínimo possível. Devo confessar que meus critérios são sempre exagerados.

SEVILHA

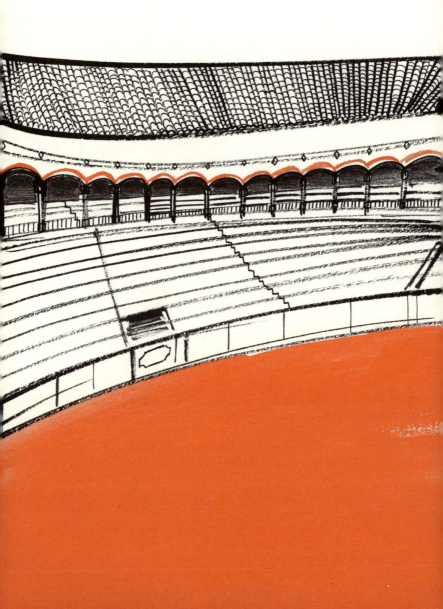

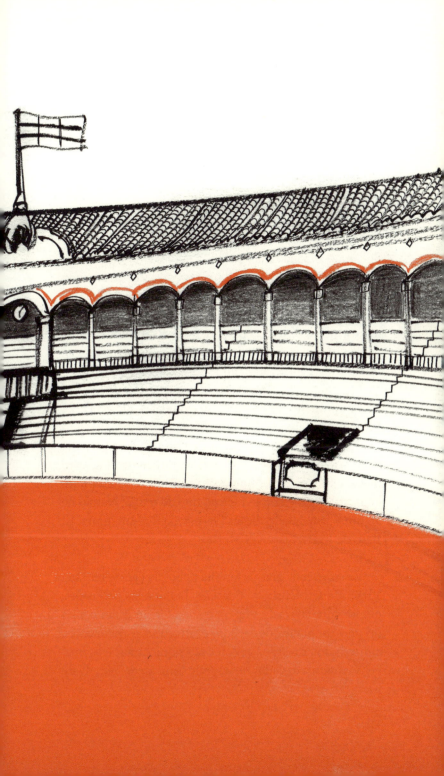

A FERIA DE SEVILHA

Sevilha é a cidade mais colorida e alegre da Espanha, e parece estar sempre em festa. Suas cores vão do amarelo ao mais flamejante dos vermelhos, e durante a Feria faz calor e o sol castiga. Mas Sevilha é também paixão, Hemingway que o diga. Porém, para minha surpresa, quando cheguei, chovia, e muito. Tudo bem: quando foi que uma simples chuva atrapalhou uma viagem minha?

Em primeiro lugar, é preciso explicar o que é a Feria. Sevilha é festeira; na Semana Santa, por exemplo, 59 irmandades desfilam pela cidade, e nessa semana ela pára. Cada irmandade usa um traje de cor diferente, inclusive preto, com grandes capuzes e máscaras; crianças também participam, com o mesmo tipo de roupa. Nomes de algumas irmandades: Jesus Despojado, La Amargura, El Beso de Judas, Segunda Mortaja.

É assim: cada grande família nobre da cidade tem sua Virgem e seu Cristo de devoção. Durante as procissões, que são diárias, cada Virgem e cada Cristo usam coroas de ouro e mantos de veludo, e atrás vão os penitentes, carregando cruzes; os andores são riquíssimos, e as imagens visitam a casa dos nobres que lhes são devotos. Cantoras de ópera são contratadas para entoar a *saeta*, a capela, no decorrer da visita, e depois a procissão recomeça e segue pela madrugada, sempre acompanhada de gêneros distintos de música.

Quem vai para a rua apenas para ver, se veste como se fosse a um casamento. Essas pessoas, atraídas pela *movida*, vão de rua em rua bebendo o vinho da região. Nas casas, após a saída das imagens, as pessoas se põem a beber e comer de novo, e fazem isso até o dia clarear. Não tem flamenco, mas as festas são muito animadas.

Para contrabalançar tanta religiosidade, Sevilha também pára durante a Feria, que não é uma festa religiosa; é um momento de alegria, em que por uma semana os sevilhanos dançam, cantam, comem, bebem, e assistem às touradas, que se realizam todos os dias e são as mais importantes do país. Vai gente da Espanha inteira (às vezes até o rei), são poucos os turistas, e os espanhóis não estão se incomodando nem um pouco com isso. Talvez seja até melhor, para não atrapalhar. A festa é só deles, e pronto.

Num espaço amplo, montam-se *casetas*, pequenas tendas de madeira, cada uma com uns trinta, quarenta metros quadrados, que se alugam a famílias ou a grandes empresas, um pouco como os camarotes das escolas de samba. Esse espaço fica vazio durante o resto do ano. É um aluguel mais ou menos permanente, e se alguém, em algum ano, desistir da sua, há uma fila esperando para ficar com ela.

Essas *casetas* são ocupadas não apenas por gente simples, modesta, como também pela nobreza espanhola, e são decoradas com muitas luzes, panos e flores. No fundo, ficam o bar e uma cozinha. Existem ainda *casetas* abertas aos que não têm acesso às particulares, onde se come, bebe e dança — mas se paga. Nas *casetas* não se vende nada. Nelas só acontecem cantos e danças.

A inauguração oficial da Feria é à meia-noite de segunda-feira, quando fogos de artifício cobrem o céu e as cortinas das *casetas* são abertas, cada uma querendo exibir a beleza de sua decoração. E começa a festa, que, como disse, vai durar sete dias (e noites).

Nas ruas se cruza com homens a caráter, de chapéu de aba dura e colete, e com sevilhanas — crianças, jovens e mulheres bem mais velhas — de vestido colorido, geralmente de bolas, com muitos babados, o cabelo preso com o tradicional pente, mantilha e sapatos próprios para dançar o flamenco. Elas vão assim aos mercados, aos restaurantes, às lojas, à igreja, como se fosse absolutamente natural — o que, aliás, nessa semana em Sevilha, é. E em qualquer restaurante da cidade, e até num dos bares mais lindos que existem (já animadíssimo às onze da manhã), do hotel mais luxuoso de Sevilha, o Alfonso XIII, elas trafegam com o maior desembaraço.

E mais: como o fundo musical é sempre a sevilhana, é normal que de repente uma mulher não resista e se levante, só ou com uma amiga ou amigo, e comece a dar uns passos de flamenco — por não mais que alguns minutos; depois volta(m) à mesa para tomar outro *fino* ou outra manzanilha, tipos de vinho que são bebida obrigatória na região. Ninguém pergunta qual a origem do *fino*; é um *fino*, e pronto. Bebem *fino* e manzanilha, e

beliscam *tapas*, petiscos que os espanhóis comem o dia inteiro, entre elas fatias de presunto bellota (um dos melhores do mundo, curado por 36 meses, divino).

As pessoas olham a dança, outras nem olham, algumas batem palmas — é tudo tão natural —, e é assim em toda a cidade. É como se baixasse nas sevilhanas uma alma de cigana; elas se dobram ao apelo da música e são compelidas a dançar, levadas por uma força maior. Não se assuste se vir uma mulher dançando em cima de uma mesa; e também não se assuste se você mesma de repente estiver dançando em cima do balcão do bar. Tudo pela alegria, sem nenhum medo do ridículo. Mas resista à tentação de comprar um traje completo de espanhola e trazer para o Brasil. Ninguém entenderia nada — além de ele não caber na mala.

Num determinado momento, o bar se esvazia e vão todos para a Feria, que abre ao meio-dia e só fecha às seis da manhã. Durante uma semana inteira, a festa está no ar.

A JUDERÍA

Meu hotel, o Las Casas de la Judería, uma jóia encravada em Santa Cruz, o antigo bairro dos judeus da cidade, é de propriedade da princesa Maria da Glória de Orleans e Bragança (filha do nosso príncipe d. Pedro e prima-irmã do rei da Espanha) e de seu marido, o duque de Segorbe. O primeiro casamento de Maria da Glória — Gola, como ela prefere ser chamada — foi com o príncipe Alexandre, da Iugoslávia, o que teria feito dela rainha, se certos acontecimentos políticos tivessem tomado outro rumo. Mas, apesar de ela agora ser duquesa, o título mais nobre que existe, antes da realeza, os funcionários do hotel a tratam por "La princesa".

Detalhe: o fantástico café-da-manhã, servido num dos diversos pátios azulejados, oferece, entre montes de iguarias, também tâmaras e queijo branco cremoso, que é uma combinação dos deuses. O hotel é lindo, e, como foi aumentado recentemente, levei uns três dias para aprender o caminho do meu quarto, com todos os confortos modernos e uma cama alta como a cama dos palácios.

O antigo bairro judeu é uma confusão de ruelas e pátios, um verdadeiro labirinto de casinhas brancas enfeitadas de azulejos, com quintais e pequenos jardins. Foi nesse bairro que viveu Fígaro, o barbeiro de Sevilha, e é lá que mora grande parte da nobreza sevilhana. Uma curiosidade: o autor da ópera, Rossini, escapou por pouco de ser castrado, o que era a vontade de seu pai. Se o fosse, sua voz não mudaria durante a adolescência e ele poderia continuar cantando no coro da igreja, sendo assim uma fonte de recursos segura para toda a família. Mas a mãe não deixou.

De volta à Feria: como freqüentá-la? Como entrar numa *caseta*? Fui ver Gola, a quem já conhecia de outra viagem, e pedi ajuda. Gola é de uma simplicidade extrema, e na casa dela você se sente absolutamente à vontade. O casal tem sempre amigos no almoço, em que só se passa à mesa depois de beber um *fino*. O primeiro prato é invariavelmente um gaspacho, sopa fria típica da Espanha. Num almoço em sua casa (marcado para as três horas), ela me explicou que as *casetas* são particulares e que, para entrar numa delas, é preciso ser convidada, mas que não havia problema: ela providenciaria tudo. Santa Gola.

Em cada uma das *casetas*, que são 1500 e estão localizadas numa área de ruas largas (com nomes e números) que se cruzam, acontece uma pequena festa. Procurei o endereço da minha, e, quando encontrei, um segurança enorme me fez entender que, sem convite, nada feito. Tirei o meu da bolsa e fui muito bem recebida.

A *caseta* era de Beatriz, marquesa de las Torres, e, por volta de três da tarde, já estava cheia — e animadíssima. As mulheres muito elegantes, com belos vestidos e colares de pérolas, os homens de terno e gravata, todos com um copo na mão. É séria, a Feria. A marquesa me acolheu com a maior simpatia, foi logo me oferecendo um *fino* e me apresentando a várias pessoas. Dava para ver que eram de classe bem alta. Garçons passavam o tempo todo servindo bebidas e *tapas*, e alguém me contou que dali a alguns minutos ia se apresentar Concha Tara, uma famosíssima dançarina de Sevilha.

Quando ela chegou com seus guitarristas, mesas e cadeiras foram afastadas para dar lugar à dança, mas, antes que o espetáculo começasse, os convidados se puseram a gritar: "Beatriz, Beatriz", e a marquesa acedeu aos pedidos. De salto alto e brincos de brilhantes, dançou um flamenco de fazer gosto; um homem se levantou e dançou com ela, e eu soube que se tratava do dono de uma importante *ganadería* (*ganadería* é o lugar onde os touros são criados). Perguntei se naquela *caseta* só tinha nobres, e me responderam que não, só amigos. Muito chiques, esses espanhóis.

Concha fez um rápido espetáculo de flamenco, uma dança sensual que se assemelha a uma tourada, com os participantes se provocando e se enfrentando, e em seguida o grupo foi dançar em outra *caseta*. Pessoas entravam e saíam, se alternando nas *casetas* de amigos.

Depois houve o desfile de cavalos produzidos com enfeites e bordados, montados por garbosos espanhóis ou espanholas vestidos a caráter, e também de carruagens. Às cinco e meia da tarde a Feria se esvaziou: foram todos ver a tourada.

PLAZA DE TOROS
E A NOITE DE SEVILHA

A Plaza de Toros de la Real Maestranza é das maiores e mais importantes do país. Em torno, dezenas de pequenos bares onde espanhóis bebem, discutindo cada touro que vai ser toureado, a filiação, a *ganadería* de origem, e o toureiro; são os aficionados, que parecem estar decidindo os destinos do mundo, sempre nervosos e fumando enormes charutos. E depois da tourada voltam para os mesmos bares, a fim de comentar cada movimento de cada touro e de cada toureiro. Na hora marcada entrei na Plaza, sem um único lugar vago.

Uma tourada é um espetáculo de barbárie e luxo; uma pequena banda de música avisa a cada vez que o toureiro entra com sua quadrilha, que são os que o acompanham. Existem algumas toureiras também, mas poucas.

Os participantes vestem seus *trajes de luces*, cada um de uma cor, escolhida a seu gosto: um azul, um branco, um amarelo, um verde, todos com muito dourado, e as meias sempre rosa. Pelo menos de longe, os toureiros são todos lindos. Apesar de serem, em sua maioria, de origem humilde — costumam vir do campo —, nas casas mais nobres são recebidos como superstars. Eles dão a volta na arena, a multidão aos gritos, e, quando saem, faz-se silêncio, para a entrada do touro: silêncio para ouvir os ruídos dos cascos do animal e o desafio do toureiro, que provoca dizendo: *"Ei, toro"*. Se o touro parece bravo, é aplaudido; se parece manso, é vaiado.

E aí começa a tourada — são seis por dia. Procurei em vão por Ava Gardner, Tyrone Power e Errol Flynn. Lembrei da época em que Domínguín, deslumbrante, toureava, e se apaixonou pela atriz italiana Lucia Bosé, com quem se casou. Ah, como o tempo é cruel; era tão romântico quando os toureiros estavam na moda e as mais lindas mulheres do mundo se apaixonavam por eles.

Mas vibrei quando vi, depois da morte do primeiro animal, o toureiro, com sua postura maravilhosa, parar diante da arquibancada, tirar o chapéu e reverenciar uma mulher, que retribuiu se levantando e jogando para ele uma flor. Imaginei que era eu a mulher, ou melhor, que eu era a própria Ava Gardner, que ia ter um inacreditável romance com um toureiro fascinante; mas saí da Plaza sem ter sido saudada por nenhum toureiro, e dei adeus às minhas ilusões e a meu romantismo.

É curioso: mesmo com o boom do futebol na Espanha, a tourada não perdeu nada do seu charme e esplendor; todas as *plazas de toro* continuam cheias, e falar sobre a barbaridade que é matar um touro, é assunto que não existe. Os espanhóis adoram touradas, está no sangue.

Os estrangeiros não resistem a tanto entusiasmo e lá pelas três da manhã, quando as *casetas* fervem e todos dançam, eles voltam humildemente para o hotel, lamentando não haver nascido e morado a vida toda em Sevilha para ter aquela energia. Mas no caminho passam pelo mais animado restaurante da cidade, o Modesto, meu predileto, onde não há lugar para uma mosca. E sucumbem à tentação de tomar outra *copa* e comer.

Aliás, come-se sem parar, em Sevilha. Comece com um gaspacho, em seguida encare uns *huevos revueltos con chorizo*, e encerre com uns camarões fritos no alho, acompanhados por um *vino de verano*; foi o que fiz, e paguei por esse banquete 21 euros. Uma ceia inesquecível, e, se quando cheguei ao hotel houvesse encontrado um touro, teria tirado meu xale e toureado em plena rua, e depois dançado um flamenco, a tal ponto tinha me tornado uma sevilhana.

A noite de Sevilha é vibrante, em qualquer época do ano. O restaurante considerado o melhor da cidade é o Egaña-Oriza, mais puxado para a gastronomia moderna. Afinal, não vamos esquecer que foi na Espanha que surgiu o chef Ferran Adrià, que revolucionou a cozinha com suas espumas, hoje copiadas no mundo inteiro.

Já o antigo Sol y Sombra oferece a melhor comida tradicional da Andaluzia. Quem quer comer *angulas* — filhotes de enguias, finas como um espaguete, servidas, a um preço astronômico, numa pequena caçarola em azeite fervente e alho — deve ir ao El Espigón, sempre cheio e animadíssimo. Mas, para os que preferem ver os toureiros, basta passar no bar da Bodeguita Antonio Romero, aonde vão todos após as touradas. (Dica para as mais afoitas: é no hotel Meliá Colón, antigo Tryp Colón, em frente à *plaza de toros*, que eles se hospedam.)

Existe também no bairro de Santa Cruz o Las Teresas, onde foi a festa de casamento da infanta de Espanha; o Las Piletas, de ambiente taurino, cuja especialidade é o rabo de touro e todos os etc.; e o incrível El Tamboril, onde ocupa lugar de destaque, como num altar, a imagem da Virgem do Rocio, venerada pelos sevilhanos. Todas as noites, à meia-noite, as luzes se apagam, os freqüentadores fazem uma oração à Virgem e cantam a música (sacra) "Salve Rociera" em sua homenagem; depois as luzes voltam a se acender, e as pessoas recomeçam a dançar o flamenco, e fazem isso até o dia clarear.

Uma amiga minha cismou com um toureiro, item que, segundo ela, ainda não havia em seu currículo. Tinha porque tinha que ter um affair — mesmo que durasse apenas uma noite — com um deles. E lá foi ela (fomos nós), para o tal bar que eles freqüentam.

Só que os toureiros se vestem de maneira normal, ficam em mesas cheias de homens, comentando cada lance da tarde, e desgraçadamente a vida real não é como nos filmes: apesar de a minha amiga ser bem bonita, o interesse deles eram os touros e tudo o que lhes dissesse respeito. Ela olhou, fez caras e bocas para quase todos, mas sem nenhum sucesso. E não teve nem tempo de se exibir muito: toureiros não bebem e dormem cedo.

Minha amiga ficou decepcionada, porém não desistiu. Quando um deles estava de saída, ela tomou coragem e pediu um autógrafo. O toureiro analisou-a, perguntou seu nome, deu o autógrafo olhando-a nos olhos e disse: *"Nos vemos mañana"*. Por pouco ela não desmaiou de felicidade.

Passou o dia seguinte na cama, aplicando cremes no rosto e sem comer, para não engordar. À noite, mais deslumbrante que nunca, foi ao mesmo bar, e esperou (esperamos). Ele chegou, se dirigiu à mesa dos colegas, conversou com eles, tomou um *fino*, mais outro, e foi embora, tão na dele quanto na véspera — e como se jamais a tivesse visto. Minha amiga quase chorou, de tanta frustração, e eu passei a noite ouvindo-a falar mal dos homens.

AS HORAS DE SEVILHA

Os horários em Sevilha são, digamos, pouco ortodoxos; as lojas fecham à uma da tarde, e as pessoas vão para casa almoçar e dormir — me contaram que há os que vestem pijama e camisola, deitam na cama, se cobrem, rezam, e dormem mesmo. O comércio volta a abrir às cinco, com todo mundo bem descansado e pronto para enfrentar a noite.

A partir de onze da manhã os lugares estão cheios, com as pessoas bebendo, comendo e fumando — muito —, e o almoço nunca é antes das três horas, quando os restaurantes lotam; quem não encontra mesa fica encostado no balcão do bar, bebendo e comendo *tapas*.

O comércio da cidade é muito especial. Existe uma loja de departamentos chamada El Corte Inglés, tudo o que pode haver de tradicional, onde nunca ouviram pronunciar o nome Versace, e uma chiquérrima loja de artigos de couro, El Caballo, que é o Hermès deles. Na El Caballo, discreta e elegantíssima, vendem-se botas, cintos, bolsas, selas, peças da melhor qualidade, tudo feito à mão, mas nada de bolsões com mil fivelas, nada que esteja na chamada moda; seus artigos ostentam, marcada com ferro, uma ferradura. Tenho uma bolsa comprada lá há pelo menos dez anos que continua impecável, e, a cada dia que passa, o couro fica mais bonito.

De resto, a moda é adaptada às tendências flamencas, alheia à ditadura do que está se usando no mundo. As espanholas não têm o menor pudor de carregar na maquiagem, sobretudo a dos olhos, e se produzem como Carmen, com flores nos cabelos e imensos xales bordados.

Pressa e *estresse* são palavras ignoradas na cidade. Mas é preciso conhecer melhor Sevilha, que é o verdadeiro coração da Andaluzia, centro da tauromaquia e do flamenco; quem a conhece fica apaixonado para sempre. Tirando-se o período de uma às quatro horas da tarde, quando nas ruas só há turistas (e os restaurantes estão cheios), tudo é desculpa para os sevilhanos saírem de casa. Eles vivem e convivem na rua, todos parece que se conhecem, se falam, e não há nada mais fácil do que conversar com eles num bar.

No entanto, chega um dia em que você acorda e diz: "Não é possível ficar passeando sem rumo, tenho que ver os lugares turísticos". Não adianta, mesmo quem não curte turismo sente essa obrigação, e não se arrepende. Alugue uma charrete, sem nenhum pudor — são quase tantas quantos os táxis —, e peça ao cocheiro que leve você para um tour fazendo, de quebra, o papel de guia.

Preste atenção na cidade: durante sete séculos os mouros estiveram presentes ali, o que se sente na arquitetura e especialmente na música. E comece logo pelo mais importante, a catedral. Você sabia que ela é a terceira maior do mundo? Construída em 1400, tudo nela é exagerado.

O altar exibe mais de mil figuras de cenas da vida de Jesus, e a catedral tem apenas — apenas — 25 sinos, que às vezes tocam todos ao mesmo tempo. Quem tiver fôlego, o que não foi meu caso, pode subir a La Giralda, torre com quase cem metros de altura, e de lá vislumbrará a mais linda e completa vista da cidade. Mas para isso é preciso ter no máximo trinta anos e jamais ter fumado um só cigarro, nem ao menos convivido com quem fuma.

No caminho entre a catedral e os Alcáceres — conjunto magnífico de palácios que foram sendo erguidos aos poucos desde a época dos reis árabes —, vá parando nos conventos, que são muitos, para comer os doces feitos pelas freiras, e também nas *taperías*, para *una copita* de vinho Rioja e umas *tapas*; faz parte.

E não deixe de passar pela Universidade de Sevilha, onde era a fábrica de tabacos em que trabalhava Carmen, cantarolando mentalmente "L'amour est enfant de Bohème". Lembre da história da mais bela e famosa cigana de todos os tempos, que enfeitiçava os homens, e emocione-se: ela merece. No fim da tarde você vai ouvir, vindo dos pátios azulejados das casas, o canto dos pássaros, e, ao longe, os 25 sinos da catedral tocando.

Os ciganos são parte integrante da população de Sevilha. Foram eles que melhor absorveram e preservaram as raízes do flamenco. As ciganas, quando bonitas, são envolventes, ardentes, e os homens se sentem perturbados em sua presença. Uma cigana pode mostrar os seios, mas jamais as pernas, daí a razão de só usar saias longas. As melhores dançarinas de flamenco são ciganas. O cigano é machista, protege a família, é fiel; a mulher é doce.

Porém, existem exceções, e Carmen é o símbolo maior delas. Não há olhar igual ao de um cigano: é um olhar sempre cheio de paixão. Quando bonitos, são irresistíveis; não queira nunca estar a sós com um cigano bonito: você se renderia. Fico pensando por que esse povo me atrai tanto: acho que é porque os ciganos são nômades, não gostam de ter chefes e são totalmente livres.

Mas não se pode conhecer de verdade uma cidade sem ir ao mercado; o de Sevilha fica no bairro La Macarena, acontece às quintas-feiras e é cercado de tabernas decadentes, repletas de homens que não fazem a barba há dias, bebem aguardente em plena rua e fumam sem parar. Enquanto isso, as mulheres compram, sempre falando muito alto, em meio a uma imensidão de frutas, legumes, peixes e mariscos. É o coração popular de Sevilha, onde todos discutem os preços aos gritos e até cantam.

Lá se vendem também trajes usados de toureiros, mantilhas, sapatos de flamenco, leques, pentes e discos — discos mesmo, de vinil — de música tradicional. Em uma semana em Sevilha não ouvi em nenhum momento uma só música que não fosse espanhola.

Nesse mercado se encontram também preciosidades, como fotos de antigos toureiros e cartazes de touradas de décadas atrás. Um cartaz de Manolete custa cerca de cem euros.

De repente, saída do nada, uma cigana, de costas, solta os cabelos negros e se põe a fazer os movimentos do flamenco. O sinal está dado, a festa vai começar — isso em qualquer dia do ano.

A Macarena é um desatino, um desatino fundamental para quem tenta compreender Sevilha, mas mesmo assim abriga espaços de devoção religiosa. Lá existem várias capelas, sendo que numa delas se encontra a padroeira da cidade, a Virgem da Macarena.

E, se você estiver precisando de uma certa tranqüilidade, vá ao parque de Maria Luisa, onde, entre as mais lindas flores e árvores, especialmente laranjeiras, vai viver momentos inesquecíveis de paz, pelo silêncio, pelo aroma. Sevilha é quase um laranjal; na maioria de suas ruas foram plantados pés de laranjas, que amadurecem em abril e são das melhores do mundo. Tão boas quanto, só as do Marrocos — que, aliás, fica ali pertinho. E mesmo os turistas são incapazes de arrancar uma laranja das árvores.

Tão bonita a natureza, tão fácil comprar quantas laranjas quiser em qualquer mercado, e deixar aquelas no pé, enfeitando a cidade.

UM TAPA NAS TAPAS

Tapas são pequenas porções consumidas entre as refeições principais, para enganar a fome. Pudera: o almoço é sempre entre duas e três horas, e o jantar nunca antes de onze. Elas surgiram da necessidade, dos que trabalhavam no campo, de comer alguma coisa entre o café-da-manhã e o almoço. Almoço, aliás, abundante, sobretudo em gorduras, o que impunha a *siesta* — sagrada — que interrompia o trabalho por um tempo. A alimentação exigia vinho, pois o álcool aumenta o entusiasmo pelo trabalho e esquenta o corpo, nos rigores do inverno. Já no verão, quando o organismo necessita de comidas mais frescas, era obrigatório o gaspacho.

O receituário das *tapas* inclui toda espécie de alimento: carne, peixe, legumes, ovos, mariscos. Seu aspecto mais simpático é o caráter coletivo. A elegância do *tapeo*, a estética do rito, reside numa demonstração de indiferença pela mesa, pela cadeira, e até pela comida, que, apesar de delicada e saborosa, costuma ser apreciada em porções mínimas pelo cliente, em pé. Na ocasião, deixa-se de lado o verbo *comer* para utilizar o *bicar*, que pertence ao mundo das aves. *Tapear* de verdade tem que ser em pé, quando o ato adquire uma dimensão quase sagrada.

No restaurante em que eu estava, o Modesto, eram 52 tipos de *tapas*. Vou descrever duas, só para dar água na boca: uma delas consiste numa finíssima fatia de pão, coberta por uma finíssima fatia de presunto serrano e, coroando, um ovo de codorna frito; você põe tudo na boca de uma vez. Outra *tapa* consiste em pedacinhos de peixe frito, deliciosos, típicos da cidade. Alguns nomes não dá para traduzir, pois designam *tapas* feitas de ingredientes que existem somente na Espanha, mas aí vão eles, para vocês sentirem o clima: *boquerones en vinagre, buñuelos de chorizo, huevos en salsa de anchoa, montaditos de roquefort a la sidra, pan de brioche crocante, patatas bravas, sandalia de caravaca*.

Volta e meia um garçom passa no bar, pega um copo de vinho, dá um bom gole e continua seu trabalho. Eles conversam normalmente com os clientes; quando se pede alguma coisa numa quantidade exagerada, são os primeiros a dizer: "É demais, a senhora não vai agüentar", e, se alguém pede uma lagosta, eles dizem que vão trazer a fêmea, cuja carne é mais tenra.

Eu, que não tenho intimidade com as *tapas*, pedia ao garçom que me trouxesse cinco ou seis tipos, à escolha dele, e, como os pratos são pequenos, devorava-os e me regalava. Tudo sempre com muito barulho, mas um barulho animado, em que todos falam com todos, e com o vinho mais servido, que é o que eles chamam *vino de verano*. Num copo grande, parte é vinho, branco ou tinto, parte água gasosa e, para rematar, uma rodela de limão ou de laranja (com casca).

Quando as tabernas se generalizaram na Espanha, servia-se a jarra de vinho coberta com uma fatia de presunto ou de queijo, para evitar que nela caísse alguma impureza e permitir ao cliente que tomasse a bebida juntamente com algo sólido. Essa foi a origem das *tapas*, que *tapavam* as jarras de vinho, em geral o *fino*.

Qualquer produto pode fazer parte das *tapas*, mas as receitas seculares são as *tortillas* de batatas, os bolinhos de bacalhau, escabeches, *chorizos*, torresmos, lulas com ou sem recheio e inúmeros tipos de azeitonas, queijos e uma variedade de presuntos. Falando neles, não me esqueço do que diz uma amiga minha, vegetariana convicta, que se regala com os presuntos espanhóis: *"Pero esto no es carne, es alma"*.

LISBOA

PRIMEIRA NOITE EM LISBOA

Lisboa é das cidades mais amáveis que existem. O clima é ameno, o tráfego flui com tranqüilidade, as pessoas falam baixo e são as mais educadas e gentis que se podem encontrar. É "minha senhora" pra cá, "minha senhora" pra lá, um regalo para os ouvidos.

Anos antes eu tinha me hospedado num hotel charmosíssimo, o York House, na Rua das Janelas Verdes. Trata-se de um convento de marianos do século XVIII, aonde se chega por uma escada externa ladeada por uma parede rosa, coberta de trepadeiras, que leva a um pátio onde o azul-matisse predomina. Esse pátio é repleto de árvores, plantas e flores que parecem estar ali há trezentos anos, e é nele que, nos meses mais quentes, se toma o café-da-manhã, se almoça e se janta à luz de velas.

Os móveis dos quartos, diferentemente do mobiliário das demais áreas, que é antigo, são contemporâneos, para realçar os elementos da arquitetura setecentista. A decoração tem paredes de mármore, madeiras, azulejos; a atmosfera é conventual, calma, aconchegante e muito portuguesa, uma verdadeira jóia.

Quando peguei o táxi no aeroporto, uma decepção: o motorista era brasileiro, de Mato Grosso, o que me deu a impressão de, depois de tantas horas de vôo, não ter saído do Brasil. Aliás, a maioria dos motoristas, garçons, das pessoas que trabalham em lojas é formada de brasileiros.

Acontece que havia esquecido que, para chegar ao York House, era preciso subir a tal escada. Linda, mas enorme (59 degraus). Só que, como tenho horror a escadas, fiz meia-volta e fui para outro hotel, na mesma rua, o das Janelas Verdes, que por sorte dispunha de um último quarto vago. Não tem o charme do primeiro, é um palacete de quatro andares, mas bastante agradável, de grande bom gosto, e detalhe: com elevador. Não pensei duas vezes; foi lá que me instalei e comecei a ser feliz. Não que eu não tivesse sido, nos últimos dias, mas era um bem-estar diferente, não o de uma turista, e sim o de quem chega em casa.

Uma informação importante: os dois hotéis ficam na rua em que, segundo a lenda, era o Ramalhete, casa dos Maias, do famoso livro de Eça de Queirós. Uns dizem que o Ramalhete era onde é hoje o York House, outros, que era onde agora é o das Janelas Verdes. Eu acredito nas duas versões, e foi com muita emoção que pisei no assoalho onde em outros tempos teriam pisado Afonso da Maia, o Ega, a Gouvarinhos, a fidalguia máxima de Portugal, na época. E fico imaginando as cenas que lembro quase de cor, de quando Carlos Eduardo da Maia conheceu Maria Eduarda, a paixão louca que tiveram um pelo outro sem saber que eram irmãos. Se você ainda não teve o prazer, leia *Os Maias* antes de ir a Portugal; comece o livro no avião, e vai compreender mais esse país do que se lesse sobre ele em qualquer enciclopédia.

Quando cheguei ao quarto, o rapaz que levava minhas malas mostrou, em cima da cômoda, uma bandeja de prata com dois cálices e uma linda garrafa redonda de cristal com vinho do Porto, dizendo que eram as boas-vindas do hotel. Muito gentil.

Foi uma delícia sentir a calma da cidade, seus silêncios, ver os bairros onde as roupas ainda são estendidas nas sacadas para secar; tomei a decisão, firme, de não passar nem perto do famoso shopping das Amoreiras, orgulho dos portugueses mais modernos. É um shopping — e eu tenho uma certa alergia a todos eles.

Liguei para um amigo, e, como naquela noite ele tinha um compromisso, resolvi começar a ver Lisboa pelo que ela possuía de mais luxuoso: pedi à recepção que reservasse para mim uma mesa no Tavares, explicando que eu era jornalista, que estava escrevendo uma matéria sobre Lisboa — imaginei que eles não dariam uma mesa a uma mulher sozinha. Fiquei descansando, fazendo hora para minha primeira noite na cidade. Mas sou um perigo quando estou sem fazer nada. Então, um parêntese.

Há uns três anos, eu, que a vida toda usei uma juba de leoa, resolvi cortar os cabelos bem curtos, mas bem curtos mesmo. Meses depois, tinha enjoado, claro. E foi um tal de botar megahair (uns três), tirar megahair (um dia inteiro para cada operação), usar perucas (acho que quatro), e não me acertava com nada. O dinheiro que gastei com minhas tentativas daria para comprar um apartamento.

Voltando a Lisboa: como ainda eram seis da tarde e o restaurante estava marcado para as nove, liguei para a recepção e perguntei se sabiam de algum endereço onde vendessem perucas. Perguntaram se eu queria de cabelos naturais ou sintéticos; disse que naturais, e daí a cinco minutos estava com o endereço na mão.

Pedi um táxi, fui parar numa pracinha no centro, e encontrei a peruca mais perfeita que tinha visto na vida. Como ela era um pouco longa, corri até um cabeleireiro, que fez um excelente corte, e já saí para jantar me sentindo outra pessoa, com os cabelos no ombro. É no que dá, me deixar sem nada para fazer.

Feliz, me sentindo a mais gloriosa das criaturas, antes de sair resolvi conhecer o bar do hotel. Era uma sala muito, mas muito bem mobiliada, com sofás, poltronas, lareira, como se fosse uma casa de família, varanda com vista para o Tejo.

Numa mesa enorme, todas as bebidas imagináveis, inclusive uma garrafa de champanhe dentro de um balde de gelo. Todo tipo de copos, gelo, claro, e garrafinhas de água com e sem gás, água tônica, Coca-Cola, guardanapinhos de linho etc. Não há barman; cada pessoa se serve do que quer, anota num bloquinho o que bebeu, bota o número do quarto, assina, e, quando vai acertar a conta do hotel, a nota do bar está incluída. Eu teria ficado lá a noite inteira, mas o Tavares me esperava.

Às nove em ponto estava na porta do restaurante, onde um segurança perguntou se eu tinha reserva; o maître, atento, veio me buscar, e aí teve início uma noite rigorosamente luxuosa.

É preciso dizer que o Tavares é o mais antigo e prestigiado restaurante de Portugal, e foi inaugurado em 1861. Nas suas paredes e no teto não há um só centímetro de alvenaria: tudo é dourado, mas dourado mesmo, dourado trabalhado, brilhando, com lustres de cristal, espelhos venezianos, estátuas de bronze com tochas na mão, cadeiras de veludo vermelho, copos de cristal lapidado; ah, e os vidros das janelas são todos bisotados. O Tavares chegou a figurar entre os dez melhores do mundo, mereceu a nota máxima de um restaurante português pelo *Gault et Millau*, e está incluído no restrito clube dos dez mais cotados do *Guia Michelin*. Nele, cabem 45 pessoas, apenas, e todos os homens usam gravata; nem combinaria, se não usassem.

Há alguns anos o restaurante mudou de mãos, e os novos proprietários resolveram dar uma "refrescada" na decoração. O resultado é que os dourados envelhecidos pelos anos ficaram novos em folha — ouro de 24 quilates, não de dezoito —, os espelhos, idem, e há quem lamente essa mudança: o restaurante tem mais ouro que a igreja de São Francisco, em Salvador. Já o freqüentaram Eça de Queirós, Guerra Junqueiro e Ramalho Ortigão, mas não Fernando Pessoa, que não tinha dinheiro. Ele ia ao famoso Café A Brasileira, e só pisava no Tavares quando convidado.

Logo que você entra no restaurante, o maître, impecável, de terno e gravata, lhe dá as boas-vindas; os garçons se vestem de preto da cabeça aos pés e são todos extremamente simpáticos. Quando um deles veio me perguntar se queria beber alguma coisa, eu hesitei, e então ele sugeriu: "A senhora não gostaria de um Porto branco, seco?". Pois era exatamente o que eu queria, ele adivinhou. Aí, chegou a hora da escolha, que foi, confesso, uma grande dificuldade. Mas o maître estava sempre com o melhor dos sorrisos, para ajudar na empreitada. Detalhe: nesse restaurante, música, nem pensar.

Vem o menu, com a primeira proposta: menu do desassossego, o que significa menu degustação. O nome de alguns pratos, não vou esquecer nunca: leitão da cabeça aos pés, peixe cozido na água do mar, costeletas de borrego — que é o cordeiro. E vieiras, as maravilhosas vieiras de Portugal, para mim as melhores do mundo.

Tomei dois copos de vinho, não quis sobremesa, mas só de gentileza trouxeram três rolinhos — como se fossem três sushis — de sorvete: de rosas, de limão, de chocolate apimentado. Conta: 225 euros. (Vou aproveitar para dizer que, em qualquer lugar do mundo, se pede um copo de vinho, um copo de champanhe — *un verre de vin, un verre de champagne, a glass of wine, a glass of champagne* —, e por aí vai. Só no Brasil existe o hábito de pedir uma taça de vinho, ou uma tacinha, pior ainda. Taças eram aquelas da nossa infância, que ficavam na cristaleira, com haste longa e a borda larga.)

Duas coisas que notei, no Tavares: quando o garçom traz o prato e os talheres, ele põe a faca, por exemplo, do lado direito, e faz a volta — pela frente ou por trás da mesa — para colocar o garfo à esquerda, isso para não passar o braço pela frente do cliente.

O que me fez lembrar que, no velório do dr. Roberto Marinho, a viúva, Lily, ficou o tempo todo sentada de um lado do caixão, e, quando chegou um presidente da República — não vou dizer qual porque sou discreta —, ele se postou do outro lado, guardou os cinco minutos regulamentares em silêncio e passou a mão por cima do caixão — portanto, do corpo — para cumprimentar Lily. Se o presidente tivesse feito um estágio no Tavares, isso não teria acontecido.

A outra curiosidade: na mesa ao lado, de seis pessoas, quando o *sommelier* chegou, começaram uma conversa que não acabava nunca, para decidir o vinho que iam tomar. Enfim, veio a garrafa; o *sommelier* botou um dedo da bebida num copo, rodou o copo, cheirou, provou, aprovou, e deu ao cliente para que ele provasse. O cliente também aprovou, e o vinho foi colocado delicadamente num decantador, para respirar. Momentos depois foi servido, e todo mundo ficou feliz.

Soube mais tarde que em alguns poucos restaurantes, quando o *sommelier* confia muito no seu taco, ele prova o vinho, e, se o aprova, é uma espécie de aval dado por ele; a partir daí, dificilmente o cliente devolve a bebida. Afinal, ela foi provada e aprovada por quem mais entende do assunto. E existem restaurantes que ainda vão além: botam um paninho no gargalo da garrafa para evitar qualquer impureza, daí passam o vinho para o decantador, e só então o *sommelier* o prova.

Perguntei se havia algum perigo em caminhar pela vizinhança, e me disseram que não, absolutamente. Segui em direção ao Bairro Alto, onde se reúne a juventude lisboeta.

Mas que agito! Várias lojas ficam abertas até de madrugada, inclusive a de Alexandre Herchcovitch, outra com os mais inacreditáveis tênis All Star, e muitas, muitas outras. Os bares são um ao lado do outro, e, como a multidão não cabe lá dentro, os jovens ficam nas calçadas e até no meio da rua, bebendo e zoando. Para eles, a noite começa tarde — meia-noite, uma hora — e em geral termina de manhã, em três bares vizinhos: o Oslo, o Tokyo e o Jamaica. Até um príncipe de um dos países da África costuma freqüentá-los.

Não demorei para perceber que aquela não era minha praia e tomei um táxi, mas ele mal podia andar, a tal ponto a rua estava lotada. No fim, cheguei sã e salva ao sossego do hotel, onde entrei com a minha chave, me sentindo totalmente em casa. Deliciosa, minha primeira noite em Lisboa.

"Pastéis de Belém"
Desde 1837

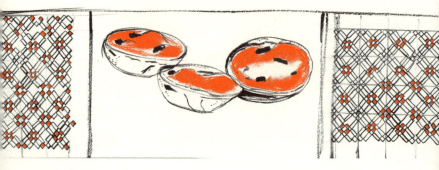

QUEIJADAS E PASTÉIS

Numa das vezes em que estive em Portugal, fui levada a Sintra por um amigo, o escritor António Alçada Baptista, e me encantei com o lugar. O ar é puro, fresco, e todas as recordações dos livros de Eça invadiram minha mente. Até a Lawrence — pousada/hotel que aparece muito nos *Maias* — ainda está lá.

Em Sintra não existem jardins desenhados, como os franceses; a vegetação é deslumbrante, mas quem dá as ordens é a natureza; árvores, plantas e flores se misturam de maneira selvagem, e é um regalo, depois de tanta civilização, ver as pequenas lojas de artesanato e as louças pintadas — dá vontade de levar todas.

Meu amigo propôs uma ida ao Convento dos Capuchos; não sou muito de conventos, mas confiei e fui, pronta para o que viesse. A uns dez quilômetros da cidade, tendo passado por um bosque, chegamos a uma construção baixa, incrustada em pedras. Uma série de casinhas cobertas de musgo, que pareciam integrar a natureza, e o local inteiramente vazio. António não tentou se fazer de guia turístico, disse que eu entrasse e me deixou solta.

O convento é de uma austeridade total, e, pela graça divina, não foi restaurado; está como quando foi construído, no século XVI. As celas dos monges são mínimas, com um catre e uma janelinha de madeira; as portas são muito baixas, e, para passar de um cômodo a outro, é preciso se curvar, em sinal de humildade. Todo o convento é forrado de cortiça, para evitar a umidade, e a sala de refeições são dois bancos e uma tábua de madeira velha; lá fora, um pequeno pátio com uma fonte no meio.

Deitei-me numa mureta de pedras, fiquei olhando o céu por entre as árvores, e pela primeira vez na vida me senti em comunhão com o Absoluto, numa paz completa. Fiquei ali, quieta, não sei por quanto tempo, e ali teria continuado até hoje, se António não viesse me dizer que era hora de irmos.

Nunca esqueci aquele momento, e, toda vez que visito Portugal, vou a Sintra e aos Capuchos, procurando pela mesma paz. No entanto, Sintra, cheia de ônibus de turistas na sua pracinha, hoje está irreconhecível; a modernidade já chegou lá. Tentei voltar aos Capuchos, mas agora é assim: em primeiro lugar, paramos numa cancela, onde se paga a entrada; depois, andamos uns duzentos metros; ao redor do convento, um monte de gente conversando alto, crianças correndo e gritando. Foi uma frustração, quase chorei. Será que nunca mais vou desfrutar momentos como aquele?

Mas continuei nosso tour e segui até o Cabo da Roca, o ponto mais ocidental do continente europeu. Dali fui almoçar no Dom Pipas, delicioso restaurante, bem simples e bem português, com jarrinhos de flores em cada mesa, toalhas brancas impecáveis, onde comi um borrego com arroz de cabidela. Esse arroz é feito com os miúdos do borrego. De sobremesa, claro, as célebres queijadas de Sintra, recém-saídas do forno. Ah, como se come bem em Portugal! Na hora de ir embora, para melhorar — ou piorar — as coisas, o dono do restaurante trouxe um embrulho "pra m'nina" (era eu): um prato de queijadas, já que eu tinha gostado tanto. A fidalguia portuguesa, não existe nada igual.

Antes de deixar Sintra, passei pelo palácio da Pena, uma das sete maravilhas de Portugal, antiga residência de verão da realeza. Uma alucinação, imperdível. À noite, desmaiei na cama do meu hotel, exausta de tantas sensações. Precisava descansar, pois no dia seguinte enfrentaria os famosos pastéis de Belém.

É preciso dizer que os pastéis de Belém são uma instituição em Lisboa. A confeitaria se chama Pastéis de Belém, claro, existe desde 1837, e vende uma média de 14 mil pastéis por dia. A receita é um segredo só conhecido pelos donos do lugar, e jamais foi revelado (mas sabe-se que os chineses — sempre eles — conseguiram, por uma fortuna, comprar a receita, e os pastéis de Belém já estão fazendo o maior sucesso na China). A casa é linda, com azulejos da época que, a partir do chão, cobrem cerca de um metro de cada parede, e às onze da manhã não se acha uma mesa vazia. A massa do pastel é folhada, o recheio é de ovos, e não tem nada melhor neste mundo.

Encontram-se pastéis de nata em muitos cafés, mas nenhum terá o sabor do original, servido quentinho, polvilhado com açúcar e canela. E você ainda pode levar consigo — já estou falando como os portugueses — alguns pastéis, juntamente com pacotinhos de açúcar e canela, numa caixa com o logotipo da fábrica. Aliás, antes de ir embora, dê uma volta pela fábrica e se encante com os painéis de azulejos que adornam algumas salas abertas ao público; veja também os tabuleiros, enormes, que não param de sair do forno para atender à clientela.

Devorei seis, bem rápido, e levei uma caixinha com mais seis. Adeus, dieta, mas não importa, tenho o resto da vida para pensar nisso. Acho que deve ser um deleite viver em Portugal; se eu morasse lá, seria a pessoa mais feliz do mundo, e pesaria uns 110 quilos.

COMO FALAM E COMEM OS PORTUGUESES

No Brasil, brinca-se muito com a maneira como falam os portugueses; porém, se refletirmos, veremos que eles fazem um uso da língua mais lógico que nós. Sua lógica é mais literal, digamos. Em Portugal, um brasileiro perguntou ao porteiro do hotel onde era o metrô, e ele respondeu: "Ora, é abaixo". Se tivesse perguntado pela estação do metrô, a resposta não estaria certa, mas o metrô, é claro que está abaixo.

Em Lisboa, quando há uma certa formalidade, as pessoas são chamadas pela sua profissão, antes do nome. Por exemplo: "Arquiteto Marcelo, podemos almoçar juntos amanhã?", ou: "Jornalista Roberto, precisamos ter uma reunião hoje", ou: "Advogado Júlio, preciso falar consigo". Aliás, repare o quanto é cômodo dizer "falar consigo". Evita o *você* ou *o senhor*, perfeito.

Mas Lisboa mudou. Eu diria que existem agora duas Lisboas: uma antiga, aquela que já conhecemos, e uma moderna, querendo ganhar da antiga — o que eu duvido que aconteça. São auto-estradas, shoppings — o Vasco da Gama é uma alucinação de modernismo, com pontes cruzando de um andar para outro, um pouco como o aeroporto Charles de Gaulle —, e em certas ruas eu me esqueci de onde estava.

Pertinho uma da outra, a Richards, a Osklen, a Diesel, a Fnac; mas onde eu estava, afinal? Então eu olhava para a rua vizinha e via escrito "Rua dos Retroseiros". É a rua dos armarinhos, aqui chamados retrosarias, aquelas lojas onde se vendem aviamentos de costura: botões, fitinhas de veludo e de cetim, e rendinhas de todas as larguras, a metro, fivelas para cinto, bordado inglês, agulhas de tricô e de crochê, novelos de lã. Mas onde estava eu, afinal? Numa cidade moderna ou numa cidade antiga?

Até a Alfama mudou; como quase todas as casas eram cobertas de azulejos que estavam, em sua maioria, quebrados e que era impossível restaurar, as autoridades resolveram descascá-las e pintá-las de uma cor aguada puxando para o pêssego. Sobraram apenas algumas, e a Alfama ficou parecendo um conjunto residencial; foi-se o charme. Mas é obrigatório visitar o castelo de São Jorge e se extasiar com a luz de Lisboa, pois mais linda não há, em qualquer estação do ano.

E, uma tarde, passe pela Rua das Portas de Santo Antão e procure um botequim mínimo, onde nem mesas existem, só um balcão. Peça uma ginjinha, aguardente feita de uma fruta chamada ginja, e vá beber na rua. Mas não se esqueça de dizer se quer uma ginjinha com ou sem elas; com elas, vêm dentro as frutinhas, que são uma delícia. Sem elas — bem, sem elas é sem elas.

Portugal está com o pé no futuro; mas, apesar de se modernizar a passos largos, conserva sua cultura e sua gastronomia. Os restaurantes, por exemplo: um antigo, que se tornou moderníssimo (um dos sócios é o ator John Malkovich), continua com o mesmo nome: Bica do Sapato — ali perto há uma pequena bica e um sapateiro.

Esse restaurante é o orgulho dos deslumbrados de Lisboa, que não saem de lá. Pelo que me contaram, é daqueles que servem pratos quadrados grandes com um pouquinho de comida no meio, e cujos garçons são escolhidos pela aparência: jovens, bonitos, com gel no cabelo. Como esse filme foi mais do que visto, risquei a Bica do Sapato da minha lista.

Em Lisboa praticamente não existem restaurantes com nomes estrangeiros, e, se existem, são tão poucos que nem se sabe. Alguns restaurantes portugueses: Faz Figura, Já Cá Estou, Tripa-Forra, Já Disse, O Bem Disposto, O Farta Brutos, Sem Nome, Faz Frio, O Barriga's, Cova Funda, Vá e Volte, e outros tão insólitos quanto. (Aproveitando, adorei o cartaz que um dentista pôs na porta do seu consultório: "Construímos sorrisos".) Nessa primavera abriram bares ao ar livre, à beira do Tejo, onde a partir de seis horas se pode tomar um drinque sentindo a brisa do rio. Um deles, de um brasileiro, se chama Meninos do Rio.

Antes que me esqueça: é fundamental ir à praia do Guincho, num restaurante chamado Meste Zé, comer os melhores mariscos e lagostas que podem existir. Com a água do mar gelada, tudo o que vem dele tem um sabor inesquecível. E o nome do restaurante é Meste Zé mesmo.

Agora, um lugar aonde não se pode deixar de ir de maneira alguma em Lisboa é o Pavilhão Chinês. Trata-se de um bar instalado numa casa com muitas salas, cujas paredes são cobertas por vitrines fechadas. E, dentro das vitrines, tudo, mas tudo o que se pode imaginar.

O garçom me contou que o dono começou a fazer coleções aos cinco anos de idade. Colecionava desde soldadinhos de chumbo até armas de guerra, estatuetas de Saxe até miniaturas de carros. Como já não sabia onde guardar as coleções, abriu o bar, e lá acomodou as mais de 25 mil peças que possui. Na última sala, um clima mais que simpático: três mesas de bilhar, onde qualquer um pode dar suas tacadas e depois voltar para seu drinque. Um must, o Pavilhão Chinês.

E quem quiser fazer um programa bem chique, vá à sala VIP de um dos cinemas do Corte Inglés; lá, numa cadeira parecida com a da primeira classe de um avião, vai poder tomar champanhe enquanto assiste ao filme.

Outro programa chique que eu fiz: fui tomar um drinque no bar do Ritz, um dos melhores hotéis de Lisboa. Como tudo é de bom gosto em Portugal! Uma enorme tapeçaria do artista Pedro Leitão cobre uma parede, as cadeiras são confortáveis, a distância entre as mesas, exata, a simpatia dos garçons, imensa. Um prazer, esse drinque — dois *finos*, dezoito euros.

Agora, uma historinha fantástica: aconteceu, com dois amigos meus que se hospedaram nesse Ritz, a coisa mais perfeita em matéria de serviço de hotel. Eles tinham comprado uma garrafa de champanhe no free shop e pediram ao serviço de quarto um balde de gelo. O balde chegou, coberto por um guardanapo, num carrinho. Debaixo do guardanapo havia uma garrafa de champanhe vazia no meio do gelo quebrado. Sabe para quê? Para que a garrafa cheia pudesse ser colocada com facilidade no balde, no lugar preparado pela vazia. Seja sincero: você já viu alguma coisa parecida? Eu, nunca.

E, agora, uma historinha picante, que vou tentar contar da maneira mais discreta possível. Se de repente aparecer um português ou uma portuguesa em sua vida, você já estará pronta/o para o que virá. Sabe aquela hora do namoro em que as coisas estão se animando, se animando, quase chegando ao fim? Pois sabe o que dizem os portugueses nessa hora? "Estou a vir-me" (como os ingleses — é só traduzir). E, quando tudo está perfeitamente terminado, eles dizem: "Vim-me".

QUELUZ, FADO E BOCHECHAS DE PORCO

Meus amigos programaram uma viagem para o dia seguinte: iríamos a Queluz. Já que se tratava de uma viagem, resolvi levar algumas coisas: comprei queijos, presuntos, pães, vinho (duas garrafas), pois poderíamos sentir fome no caminho. Só que de Lisboa a Queluz são apenas 25 minutos. Costumamos esquecer que Portugal é um país bem menor do que o Brasil, e que lá tudo é perto.

O palácio de Queluz, pequeno mas de grande bom gosto, é uma jóia. Inicialmente era casa de campo do marquês de Castelo Rodrigo; mais tarde foi residência de reis e príncipes; e nele também morou o general Junot, durante as Invasões Francesas. Na época do primeiro casamento de Caroline de Mônaco, com Philippe Junot, espalhou-se o boato — nunca provado — de que o noivo descendia do general. O parque de Queluz é dos mais belos jardins pertencentes a palácios reais portugueses.

Depois de tantas maravilhas, tive necessidade de respirar um ar mais burguês, e decidimos que no dia seguinte visitaríamos a tasquinha do Oliveira, em Évora, a 130 quilômetros de Lisboa. É bom ir com fome e com tempo, pois você não imagina o que te espera. Convém reservar, e, como a casa é pequena — cabem somente 24 pessoas — e não se escolhe o que se vai comer, o mais aconselhável é convidar 23 amigos, porque os garçons vão trazendo as travessas, vão trazendo, e é preciso ser muito sensato para não exagerar e depois se sentir mal. Só é pena que, nos dias de hoje, se vá pelas auto-estradas, deixando-se de passar pelas adoráveis aldeias. Mas preste atenção nos pratos que vão te servir.

Entradas: orelha de porco, favas com chouriço, cogumelos assados, aspargos verdes com ovos mexidos, ovos de codorna com pato, gambas panadas, pimentos com bacalhau, alcachofras com presunto, ovas de peixe, sopa de cação.

Peixes: carapaus de escabeche, bacalhau com grão, cação de coentrada, açorda alentejana, bacalhau na canoa, feijoada de bacalhau, suflê de gambas com espinafre, pargo ao forno.

Carnes: ensopado de borrego, migas com entrecosto, borrego ou cabrito assado, arroz de lebre, cozido de grão, lebre com feijão e nabo, arroz de pombo bravo, perdiz à tasquinha.

E, para coroar, uma travessa de bochecha de porco preto, o porco do qual se faz o famoso presunto pata negra, que, juntamente com o bellota, é um dos melhores do mundo. Chega?

De sobremesa, todos os doces portugueses que você possa imaginar. Em vez de alugar um carro para ir a Évora, alugue uma ambulância, porque você vai sair da tasquinha do Oliveira passando mal. Mas guardando uma das mais agradáveis recordações da vida, em matéria de bem comer.

Mas e o fado? Em uma semana em Lisboa não fui a uma tasca e não ouvi um acorde de fado. Onde estavam eles, afinal? Depois de muito perguntar, descobri duas coisas. Uma, que as tascas estão se acabando. Antigamente eram botequins com mesas de mármore, altas, onde as pessoas tomavam seu vinho em pé, comendo tremoços e azeitonas. O vinho era o Carrascão ou o Mancha Mármore — e não é preciso explicar por quê. Só que as tasquinhas foram virando restaurantes, e agora são raras em Lisboa.

Aliás, praticamente não há restaurantes estrangeiros na cidade; dois ou três italianos, um francês, e só. Mas em restaurante algum você escapa do bacalhau, e num deles contei dezenove mariscos dos quais nunca tinha ouvido falar. Quer saber alguns nomes? Percebe, canivete, navalheira, cadelinha, lavagante, sapateira.

Mas e o fado, e o fado? Um amigo me contou que no início o fado (como o samba) não era aceito nas melhores rodas, digamos. Mas houve um conhecido boêmio, o marquês de Marialva, que se apaixonou pela maior fadista que Portugal já teve, a Severa, maior ainda que a Amália. E foi assim que o fado começou a ser aceito.

Os fadistas e guitarristas fazem show para os turistas durante a semana, menos às segundas-feiras; nesse dia de folga eles se encontram no Cataplana, um pequeno restaurante (doze lugares) na Rua Diário de Notícias, cujo dono, com oitenta anos, canta. E descobri mais: como por perto existem outros estabelecimentos semelhantes ao Cataplana, os fadistas passam a noite num troca-troca de restaurantes, onde cantam por puro prazer, e é a isso que se chama "fado vadio". Tive a sorte de saber desse costume e fui ouvir; fiquei arrepiada, vendo a satisfação e a sinceridade com que eles cantavam — e para eles mesmos. Dá pra ver que eu adoro fados.

Amália Rodrigues foi uma fadista magnífica, conhecida no mundo todo. Seu corpo, dois anos depois de ter sido enterrado no Cemitério dos Prazeres, foi trasladado para o Panteão Nacional. Mas, isso, só depois de uma grande discussão pública, pois parte do povo dizia que ela queria — e devia — ficar com o povo, não com os heróis.

Quem melhor me explicou o fado foi o comediante Raul Solnado. Segundo ele dizia, podem-se juntar os maiores fadistas, as maiores platéias, pode haver um grande espetáculo, e não acontecer nada. Mas há ocasiões — sabe-se lá por quê? — em que o fado acontece, e essas são noites inesquecíveis para quem tem o privilégio de participar delas. E disse mais: que ninguém pode ser fadista antes dos quarenta. Que é preciso sofrer, para ser fadista de verdade.

Lisboa é um lugar aonde se pode ir em qualquer idade. Em criança, para conhecer nossas origens; aos dezessete, dezoito, para cair na balada, que é das mais animadas da Europa. Aos trinta, para uma lua-de-mel romântica. E aos cinqüenta, setenta, noventa, para desfrutar uma das cidades européias mais prazerosas, onde as pessoas são extremamente gentis, come-se muitíssimo bem, e onde passaremos dias encantadores e cheios de paz, que não vamos, nunca, esquecer.

PARIS MUDOU?

E aí eu cheguei a Paris. Ah, Paris. Os versos da canção de Joséphine Baker "J'ai deux amours, mon pays et Paris" poderiam ter sido escritos por mim. Ou para mim.

Desde que pus os pés em Paris pela primeira vez, soube que iria amar aquela cidade profundamente, até o fim dos meus dias. Minha história com a cidade começou muito cedo, e marcou minha vida para sempre; a primeira vez, eu tinha dezessete anos e morei lá por dois; depois voltei, aos trinta, e fiquei cinco anos. Como não gosto muito de sair, adoro Paris, porque lá me sinto totalmente em casa e sem nenhuma obrigação de ir ver shows, exposições, museus etc.; exatamente como no Rio.

A *Mona Lisa*? Já vi. A *Vênus de Milo*? Já vi. A *Vitória de Samothrace*? Já vi, e não vou entrar numa fila imensa para ver de novo. Aliás, uns amigos reservaram entradas para vários museus, inclusive o Louvre, pela internet, para evitar a fila, e ficaram horas na fila dos que tinham feito a reserva. Além disso, eu não conseguiria me emocionar vendo uma obra de arte com cem pessoas em volta. Soube que na Capela Sistina — que também já vi — de cinco em cinco minutos se ouve uma voz forte gritando: "Silêncio". Não, positivamente, essa não é a minha. Mas um amigo me contou que uma vez por ano existe uma noite em Paris (e na Espanha também) em que os museus ficam abertos até as três da manhã; chama-se La Nuit Blanche.

Meu hotel é sempre o mesmo, o Welcome. Na rua, o vendedor de frutas me conhece, o dono do café, quando me vê, diz: "Já de volta, madame, seja bem-vinda", o que faz com que eu me sinta em casa. É claro que muitas coisas me encantam na cidade: as lojas — eu adoro ver uma vitrine —, os restaurantes, as ruas, os prédios; às vezes sento num daqueles bancos do Boulevard Saint-Germain só para ficar olhando e imaginando como seriam os apartamentos. Se eu queria ter um em Paris? Já pensei bastante nisso (se ganhasse na Mega-Sena), mas concluí que não. Adoro um hotel. Se a televisão quebra, se não tem água quente e o telefone pára de funcionar, falo com o *concierge* e ele resolve tudo. Adoro roupas bonitas, não ligo a mínima para jóias, adoro peles, adoro não precisar andar de metrô (e não nasci para ter carro e motorista, sou louca por um táxi).

Já fui bem consumista, mas melhorei muito, até porque o que vejo não me dá mais a taquicardia que dava quando, por exemplo, eu deparava com um vestido deslumbrante. E, como praticamente só ando de jeans, a vida ficou mais fácil — e mais barata. Mais barata em termos, porque existem bolsas e sapatos que me tiram do sério. Porém, não sei se eu mudei, ou se os estilistas mudaram: a verdade é que hoje isso acontece cada vez menos.

Não tenho nenhuma vocação para ser milionária, mas queria ter muito dinheiro somente para, quando viajasse, poder mandar na véspera minha secretária, que falaria francês, com a bagagem; assim, eu pegaria o avião só com uma bolsinha mínima, e, quando chegasse ao hotel, os vestidos estariam passados e pendurados, as gavetas arrumadas, tudo no lugar. Durante a viagem, ela arrumaria meu quarto e minhas roupas, e na hora de voltar faria as malas, despacharia tudo e embarcaria junto, também na véspera; quando eu chegasse em casa, as roupas estariam passadas e penduradas nos cabides — cabides iguais, claro, e virados para o mesmo lado.

Fico um pouco melancólica quando o avião vai descendo, porque já não sinto uma emoção tão grande quanto a que sentia nas primeiras viagens a Paris; em compensação, minha felicidade agora é tão imensa que a troco, sem pena nenhuma, pela emoção. Ou serão as duas a mesma coisa? Do aeroporto ao hotel o motorista de táxi não fala, e a música que se escuta, bem baixinho, no rádio do carro é clássica.

Certos lugares de Paris não mudam; dia desses estava olhando uma foto do Café de Flore dos anos 50, e, fora a maneira como as pessoas se vestiam, tudo está exatamente igual. O toldo, a varanda, as mesas, a roupa dos garçons, o menu. Na Brasserie Lipp, em frente, a mesma coisa; isso me leva a pensar: por que será que os restaurantes do Brasil trocam tanto de nome, de decoração e de tipo de comida?

Paris dá a sensação de que as coisas são permanentes, e essa é uma boa sensação. E olhem o que me mostraram outro dia: que, em quase todos os cruzamentos das ruas, os edifícios formam uma espécie de quina, o que não só cria grandes espaços como areja a cidade. Mas, se Paris não mudou em muitos aspectos, lamentavelmente mudou em outros — a tal da globalização está chegando lá a passos largos.

A PARIS DOS MUITO RICOS

É preciso dizer que tenho uma amiga em Paris, a Josée, e que, desde o minuto em que chego à cidade, não nos largamos. Olhamos as vitrines, os novos restaurantes, ela me mostra as novidades, conta as fofocas sobre Carla Bruni, e é com ela que eu ando pra cima e pra baixo. E lá vamos nós.

Houve um tempo em que o Faubourg Saint-Honoré era o máximo, em matéria de elegância. Hoje, as vitrines das lojas só exibem horrores, que você (eu) não vestiria nem por montes de euros.

No prolongamento do Faubourg há a Colette, templo dos jovens deslumbrados do mundo todo. "La très chère Colette", como é conhecida, que pode ser traduzido como "A caríssima Colette". Lá só tem supérfluos, e uma pulseirinha de prata não sai por menos de 6500 euros. A moda, no primeiro andar, é infame, mas a coleção de revistas é interessante.

ok, o Hermès, no Faubourg, continua firme; agora, tirando-se seus clássicos — bolsas, cintos, relógios, foulards, as agendas, claro — como viver sem uma? — e tudo para equitação, é melhor nem olhar o resto; especialmente as vitrines, que resolveram se modernizar, de um mau gosto atroz. Os preços? Uma bolsa Birkin tem que ser encomendada, leva um ano para ficar pronta e custa cerca de 5 mil euros. Não estou falando das de crocodilo, claro. E, fora os artigos de couro, nada mais me emociona.

Os homens têm mais com que se divertir; no fundo da loja há os magníficos sapatos Lobb, marca inglesa que é apenas a melhor do mundo. Os mais baratos custam o equivalente a 3900 libras — LIBRAS —, no entanto, será uma preciosa herança a ser deixada para os filhos e netos, porque não acabam nunca. Mas calce seus sapatos assim que acordar e fique com eles o dia inteiro, para que envelheçam o mais rápido possível; existe alguma coisa pior do que um homem com sapatos ostensivamente novos?

As grandes marcas vão atrás do dinheiro, e, como existem muitos hotéis de luxo nas imediações da Avenue Montaigne, as lojas foram para lá, a fim de facilitar as compras das madames. Tirei um dia para percorrer essa avenida de cima a baixo — e vi.

Começamos — eu e Josée, claro — com um delicioso almoço no Tong Yen, restaurante chinês na Rue Jean Mermoz; lá se come muito bem, e Thérèse, a *patronne*, continua com o sorriso de quarenta anos atrás. Uma semana depois estiveram nesse mesmo restaurante Chirac e Sarkozy, que, aliás, é bem *rive droite*; ele gosta do Crillon e do Fouquet's, enquanto os presidentes anteriores eram mais *rive gauche*, mais chegados a um bistrô daqueles tradicionais. Mas, segundo Boni, o melhor chinês do mundo é o Chen Soleil d'Est, mais conhecido por Chen, que fica na Rue du Théâtre, perto do Sena. Para quem não sabe, Boni, José Bonifácio de Oliveira Sobrinho, foi o grande chefão da Globo, e é considerado o homem que mais entende de gastronomia e vinhos no Brasil.

Pausa para uma historinha: uma noite estávamos jantando, eu e um grupo, com Boni, no Chen — éramos cerca de dez pessoas. Evidentemente deixamos o menu para ele escolher — comemos umas rãs no alho e um pato laqueado inesquecíveis —, e, na hora de pedir os vinhos, fez-se um silêncio que dava para ouvir do outro lado do Sena. Claro: quem vai ousar falar em vinho na presença de Boni? Mas o garçom foi perguntando discretamente, a cada um de nós, se queríamos água com ou sem gás, e nem sei se alguém ousou responder. Eis senão quando a extrovertida Lou, mulher de Boni, pede uma cerveja. Convenhamos: é preciso ter muita personalidade para, na mesa de Boni, casada com Boni, pedir uma cerveja. Palmas para ela, de quem, a partir desse dia, fiquei totalmente fã.

Voltando: depois de atravessarmos o Rond-Point des Champs-Élysées, todo florido, atacamos a Avenue Montaigne. À esquerda, Dolce&Gabbana, onde é fundamental entrar; é até possível encontrar algumas peças bem cortadas, mas o resto, só rindo. Bem ao lado, Barbara Bui, onde eu talvez comprasse um par de sandálias, nada mais.

E chegamos à inevitável Chanel, e suas vitrines inacreditáveis: manequins com tops bordados super-habillés, chapeuzinhos de palha cheios de flores e botinhas amarradas com fitas, enormes plataformas e saltos torre-eiffel, um verdadeiro pesadelo. Felizmente não se usam esses horrores na vida real. Chanel nunca foi barata, mas, por favor, um cinto a 1250 euros, um cardigã a 2700 e uma calça comprida a 3450 talvez seja um certo exagero.

Alguns metros adiante, Eres e seus mais lindos e caros maiôs e a mais bela lingerie de Paris, e, aí, a surpresa: um que volta. É Emilio Pucci, furor nos anos 60, que está chegando devagarzinho, com seus mesmos jérseis de seda, seus mesmos estampados coloridos, dando um *up* nos beges, cinzas e pretos que imperam em Paris. Sempre igual ao que sempre foi, mas um choque cheio de chique; entra-se, compra-se um vestido, e se sai elegante e feliz. Atravessamos uma pequena rua, e estávamos na Dior; foi entrar por uma porta e sair pela outra, e esquecer o que vimos, para não sofrer. Na Bottega Veneta, uma bolsa muito, muito simpática, que eu adoraria ter: 4400 euros.

Na vitrine de Armani (*black label*), um vestido bordado bastante usável mas não essencial, 10 700 euros, e chegamos à Prada, onde a única coisa que, se tivesse ganho de Natal, eu talvez usasse num dia de delírio, *talvez*, era uma bolsa de crocodilo rosa, a 6 mil euros. Para terminar, Ungaro, se eu estivesse procurando um vestido para um coquetel numa embaixada em que iria morrer de tédio.

Por toda a Avenue Montaigne, cruzamos com mulheres de burca, sabendo que estas encobrem os mais lindos — e caros — vestidos dos mais famosos costureiros, que elas mostram só quando estão entre elas.

Ainda cheias de gás, atravessamos a avenida e demos uma entrada *chez* Valentino; é preciso fazer o tour completo, para encontrar, com sorte, um vestido habillé razoável, sandálias, e belas bolsas.

Depois dessa maratona, foi fundamental tomar um chá perfumado e gelado na galeria do Plaza, para descansar os pés e sobretudo criticar os horrores que vimos (criticar evita o infarto).

Já descansadas, resolvemos percorrer o outro lado da avenida, mas seria perda de tempo: quem quer saber de Scherrer, Escada (que lembra aquela nossa ex-primeira-dama), Ferré? Desse lado, a única coisa que se salva é Harry Winston, o grande joalheiro que criava as jóias de Farah Diba, ex-imperatriz do Irã, inclusive a tiara com que ela se casou, feita de diamantes de todas as cores, escolhidas entre as pedras do tesouro do país.

Pretendia ainda ir ao hotel George V, mas diante da economia que fiz na Avenue Montaigne, onde não gastei um só euro, era a hora de uma extravagância: subimos a pé a Rue François 1er e, na esquina da Hermès — que se rendeu ao novo *quartier* de luxo da cidade e abriu uma pequena butique —, dobramos à direita, na Rue Quentin-Bauchart, rumo à Maison du Caviar.

CAVIAR E GEORGE V

Detesto restaurantes lotados, por isso procuro sempre ir nas horas consideradas erradas: três da tarde para almoçar, sete para jantar, e por aí vou. Eram três horas, e o restaurante já estava agradavelmente vazio, silencioso, sem aquele monte de gente rica, ou querendo parecer rica, e sem mulheres de reputação duvidosa, louras, muito maquiadas, com laquê no cabelo e cheias de jóias.

Para me ajudar a raciocinar, pedi uma *vodka au poivre* — apimentada e rosada, geladíssima; a vida começou a ficar bela, aliás, belíssima. Escolhi uma *assiette aux trois harengs*, três tipos de arenque com creme, cebola cortada fina e alcaparras. Em seguida, uns *blinis*, claro (os melhores de Paris). Mas com quê? Caviar? O preço do Beluga era 880 euros, cem gramas; do Oscitère, 650, e do mais baratinho, o Sevruga, 590. Só se tivesse sido convidada pelo sultão de Brunei. Pedi *blinis* com ovas de salmão, a 33 euros os cem gramas, fiquei extremamente feliz, e o mundo se tornou um paraíso.

Desci a Avenue George V, jurando que não compraria absolutamente nada, juramento que cumpri. Tinha a intenção de ir ao hotel George V, mas, depois de duas — ou foram três? — vodcas, não deu. Minha amiga tomou o rumo de casa, e eu fui flanar na direção do Sena, e acabei indo a pé até meu hotel, em Saint-Germain des Prés. Uma linda e deliciosa caminhada. O George V amanhã, talvez. Amanhã, com certeza.

E, no dia seguinte, como tinha combinado comigo mesma: hotel George V. Afinal, como não conhecer um dos hotéis mais chiques de Paris? De blazer Armani e jeans, entrei na portaria me achando. Acho que eles também me acharam, porque foram gentilíssimos.

Queria tomar um chá, mas as mesas estavam todas ocupadas. Fui, então, para o bar, que, aliás, é dos mais simpáticos, apesar de ser um bar tipo inglês, onde tudo é falso: das cadeiras às mesas, dos quadros às tapeçarias. Eram cinco horas, e estava cheio; muitos jovens, que deviam ser os donos das Ferraris e Maseratis estacionadas em frente ao hotel. Pedi um Campari, disse que estava esperando uma pessoa, e o garçom, todo sorrisos, perguntou se eu não queria um jornal ou uma revista. Para dar um ar de séria, pedi o *Le Monde* e, enquanto fingia que lia, fiquei observando o bar.

Os garçons que ficam atrás do balcão usam colete de brocado, e os que servem, terno e gravata. Havia orquídeas dentro de um aquário, e em cada mesa um vasinho micro, com uma orquídea plantada. Minha amiga chegou, também tomou um Campari, e a conta foi até baratinha: dezoito euros. Na saída, o maître nos acompanhou até a porta e disse: "Espero que tenham passado uma tarde agradável".

O hotel é suntuoso, mas — tem sempre um mas — contrataram um florista de Los Angeles. Convenhamos: entre

Paris e Los Angeles a distância cultural é imensa, e o George V, cuja marca registrada era um imenso buquê de flores no hall de entrada, agora tem, espalhados por todos os seus espaços, vasinhos deitados com flores estranhas, o que até iria muito bem na Califórnia, mas em Paris é um insulto.

Apesar de todos os confortos que o hotel oferece — piscina, vários tipos de massagens, limpeza de pele, e uma sala de ginástica aberta dia e noite —, uma pessoa de bom gosto não pode deixar de se sentir agredida por aquela visão horrenda das flores, da qual ninguém escapa. Precinhos: quarto normal, 695 euros, suíte especial, 4800, suíte real, 11 mil. Como em Paris você passa pelo menos doze horas do dia na rua, cada hora na suíte real sai por quase mil euros.

No hall do hotel havia uma mulher envolta em panos, com aspecto muito simples. Levava uma sacolona de tecido e um bebê no colo. Achei estranho que ela estivesse ali, no hall de um hotel tão chique. Logo depois encontrei a mesma mulher na loja da Louis Vuitton, confortavelmente instalada, tirando da sacola uma garrafa térmica e fazendo uma mamadeira para o bebê. Devia ser uma princesa árabe — ou babá de alguma riquíssima, pois, nos dois lugares, foi muito bem tratada.

E agora vou ter que falar da loja Vuitton. Vocês entenderam bem: vou TER que falar.

Na calçada, um grupo esperava para entrar. Tive a impressão de que os seguranças esperam que saia uma leva para entrar outra, mas, se você está bem-vestida — e eu estava —, com uma bolsa de grife (o porteiro conhece tudo) e aquela cara decidida de quem vai comprar, não tem problema, a porta é aberta com um simpaticíssimo "Bonjour, madame". É uma loja enorme, onde tem absolutamente tudo o que possa levar a marca LV. São diversos andares, com muitos, muitos seguranças em cada um, e fiquei tonta com a quantidade de artigos — de chaveirinhos a porta-níqueis, lenços e malas de todos os tamanhos, tudo de todas as cores, e cores misturadas.

A LV se tornou um luxo banal — não no preço —, e de uma vulgaridade absoluta. E preste atenção na criatividade: pegaram vários modelos de bolsas LV, de várias cores e formatos, cortaram em pedaços — uns retangulares, uns quadrados, outros em triângulos —, fizeram um patchwork e montaram um novo modelo de bolsa — horrenda, por sinal. Preço: 50 mil dólares.

Foi demais para minha cabeça; precisei sair correndo dali. Aquele Vuitton clássico, de bom gosto, não existe mais. Saí, passando mal, e, quando olhei para o Fouquet's (agora é também hotel), do outro lado da rua, quase desmaiei: a porta de entrada eram uns arabescos feitos de alumínio, imagine por quem? Philippe Starck. Quero declarar, a quem interessar possa, que tenho pavor a tudo o que é feito por Philippe Starck.

Fui descendo a Avenue George V, e felizmente encontrei a filial do Hermès, para me refazer de tantas agruras; passei por Jean Paul Gaultier — se procurar muito, dá até para achar algo interessante ali — e cheguei à Agnès B., que só tem coisas clássicas, com preços acessíveis, discretas e sempre de bom gosto. Respirei aliviada. O mundo ainda é possível.

Mas, como tinha tirado a tarde para percorrer aquele *quartier*, o VIIIème, e já eram mais de sete horas, resolvi ir até o amargo fim e tomar um drinque no bar do Plaza; decorado por quem? Por um discípulo de Philippe Starck.

Na porta do hotel, um grupo de oito ou dez adolescentes ricas, todas usando bolsas Vuitton daquelas caríssimas, uma diferente da outra, e cada garota com um celular na mão, cada um de uma cor e certamente preciosos, até com pedras incrustadas. Todas falavam com alguém, em estado de frenesi, provavelmente combinando o programa para a noite. Uma cena dramática, eu diria.

Mas o VIIIème é, hoje, praticamente um *quartier* freqüentado por milionários do Oriente Médio.

Entrei no hotel, que continua lindo, com seu imenso e tradicional buquê de flores no hall, e me dirigi ao bar. Mas que bar, *mon Dieu*! A luz branco-azulada lembrava um consultório de dentista; havia umas mesinhas com cadeiras muito altas; para mim, era impossível sentar. Diante dos últimos acontecimentos, pedi uma vodca dupla: eu merecia. Lembrei daquele filme de Buñuel e tive medo de nunca mais poder sair de lá, e, para não correr nenhum risco, pedi a vodca e a conta, junto. E fiquei olhando aquele mundo de jovens desocupados que passam a vida fazendo o circuito Prada—Vuitton—George V—Plaza, e saí de lá quase correndo, louca para voltar para meu mundo. Não, aquela ilha dentro de Paris não foi feita para mim.

OS OÁSIS DOS BISTRÔS

Mas é preciso fazer justiça; o VIIIème tem restaurantes de várias partes do mundo, e bons restaurantes. Um marroquino ótimo, na Rue du Boccador, um indiano, um chinês, um árabe, um japonês, alguns italianos, e um francês — viva! —, o Chez André. É mais que um bistrô mas menos que um restaurante daqueles metidos; ele existe desde 1937, e nunca mudou a decoração nem o tipo de comida, a tradicional francesa, e vive cheio. É melhor reservar, pois sem reserva, a não ser chegando cedo, raramente se acha uma mesa vaga. Suas fritas são divinas, as moças que servem à mesa são calorosas, conversam com os clientes, e a comida é perfeita. Conheço o André há anos, e sua qualidade jamais baixou, nem seu prestígio. Não, o VIIIème e o mundo não estão perdidos — ainda.

Pensei em ir comer um *steak tartare* no Bar des Théâtres, uma de minhas grandes recordações, onde décadas atrás todo mundo se encontrava na hora do almoço, porém não tive coragem. O bar está caidaço, e preferi nem passar pela porta, para não lembrar e chorar.

E, agora, uma excelente notícia: aquele restaurante de Nova York e de Los Angeles, o Nobu, pretensioso até mais não poder, abriu em Paris — nesse *quartier*, é claro — e fechou, por não ter feito nenhum sucesso. Deus existe e às vezes é justo. A-do-rei.

Ainda no VIIIème se encontram diversos pequenos restaurantes italianos, todos simpáticos como os italianos sabem ser. Um deles é na Rue du Boccador; chama-se Le Relais Boccador, e o dono, Mario, apelidou-o de "Boccadoro". Como na entrada do restaurante há um degrau bem alto, Mario segura a cliente pela cintura para ajudá-la a entrar, e também a sair. Outro dia, ele ajudava a entrar uma mulher muito chique, que tive a impressão de reconhecer. Perguntei, e recebi a confirmação: era Lee Radziwill, irmã de Jacqueline Onassis. Magra — como elas conseguem? —, com um tailleur branco com gola tipo Mao, sapato de duas cores, cabelos no ombro, numa elegância de dar inveja.

Claro que olhei muito para ela (disfarçadamente), e refleti sobre o que faz uma mulher ser elegante. Elas se vestem sempre de maneira bastante discreta, e é raro usarem cores fortes. Mas voltando aos bistrôs, e saindo um pouco do VIIIème, existem dezenas, em Paris, onde se come magnificamente bem.

Vamos supor que você seja daquelas pessoas que pedem um *ossobuco* só pensando no tutano. Então seu bistrô é, sem dúvida, o Claude Sainlouis, na Rue du Dragon, uma rua que começa logo em frente ao Café de Flore. Há um prato chamado *os à la moelle* (pronuncia-se "moale"): são três ossos enormes, cheios de tutano, que você tira com uma faquinha fina (sai inteiro), corta em rodelas pequenas e vai pondo cada uma sobre uma fatia de pão de *campagne* torrado, depois salpica em cima o sal que está na moda, a *fleur de sel de Guérande*. Dê a primeira dentada, tome um gole de vinho tinto, e vai morrer de prazer. E tem mais: que eu conheça, é o único restaurante de Paris que prepara esse prato.

Freqüento o Claude Sainlouis faz mais de trinta anos, e a decoração é a mesma, o serviço é o mesmo, apenas o menu muda um pouco, conforme a estação do ano. E melhor ainda: não é nada caro. Nas paredes, fotos dos presidentes que freqüentaram o bistrô; só não tem Sarkozy, que é moderninho e, como dissemos, prefere o Crillon.

Já se estiver com um desejo louco de comer ostras, o Restaurant des Beaux Arts, na Rue Mazarine, vai te deixar bem feliz. Agora, se você for um expert em ostras, daqueles que conhecem todas as qualidades e tem suas preferências, então vá ao L'Ecailler du Bistrot, na Rue Paul Bert. É um pouquinho longe, precisa reservar, mas lá você encontra todos os tipos de ostra que podem existir, e frutos do mar também; e só, não espere por mais nada. Se pedir um *plateau*, com diferentes qualidades, o maître vai dizer a você em que ordem deve comer — e haja memória para lembrar.

Mais lugares para ir: se você perdeu a hora do almoço e quer comer uma coisinha ligeira, vá ao Da Rosa, na Rue de Seine. Lá você escolhe porções maiores ou menores, salmão defumado, uma das diversas qualidades de presunto, inclusive o bellota, gaspacho, pedaços de parmesão para molhar no vinagre balsâmico, salada, risotos, chouriço — como eu poderia me esquecer do chouriço? —, tudo é de matar, de tão bom. E isso rapidinho, com um copo de vinho, e bem barato. No Da Rosa só tem comidinhas pequenas, mas da melhor qualidade. Eu, que não gosto de horários, não saio de lá. Ah, e depois dos salgados peça para provar umas bolinhas de chocolate *au sauterne* e outras só um pouco apimentadas, e chore de alegria. E peça também para ir à *cave* onde guardam os presuntos, basta descer um lance de escadas. Vale a pena.

Outro bistrô que freqüento porque é um bistrô de verdade, singular, não globalizado, é o Vins et Terroirs, na Rue Saint André des Arts. Você é bem recebido, o lugar é pequeno, aconchegante, o *patron* vem à mesa aconselhar o vinho, é uma delícia total.

E tem também o Les Éditeurs, no Carrefour de l'Odéon, rodeado de estantes com livros, onde você pode sentar e ficar horas lendo o livro que escolher numa das estantes, tomando um copo de vinho bem devagar. Oferece um pouco de tudo, e tudo é bom, mas tem uma sobremesa quente de chocolate, que vem acompanhada de um sorvete de rosas, que é um espetáculo. Recomendo.

Uma *brasserie* que está meio fora de moda mas é um esplendor de beleza é a Flo, na Cour des Petites Ecuries, com seu precioso *décor art nouveau*, e as moças mais bonitas de Paris. Não é a grande gastronomia, trata-se apenas de uma *brasserie* onde se come bem.

E, no capítulo *brasseries*, é impossível ir a Paris sem passar pela Coupole, nem que seja para tomar um drinque no bar e imaginar o que ela deve ter sido nos anos 20, com seu elenco de pintores, poetas e escritores, e suas belas modelos. Esqueça um pouco deste insensato mundo, e preste atenção nos detalhes da arquitetura e nas 33 pilastras pintadas que continuam firmes em seu lugar, um dos mais lindos — e mais parisienses — da cidade.

Há lugares tradicionais aonde não se pode deixar de ir; primeiro faça suas contas e, se der, reserve uma mesa no Chez l'Ami Louis, na Rue du Vertbois. É fora de mão, a decoração é simples, mas lá você vai se regalar com o melhor *foie gras* de Paris; como segundo prato, peça algo aparentemente banal — um frango assado —, e, quando ele chegar inteiro e for trinchado na sua frente, você vai acreditar na existência de Deus. Acompanhando, uma montanha das melhores batatas fritas. E não se espante se, na mesa ao lado, estiverem quatro caminhoneiros de macacão comendo exatamente a mesma coisa. E, na mesma linha, não deixe escapar o Benoit, excelente bistrô na Rue Saint-Martin; você não vai se arrepender.

Já no terreno das excentricidades, vá um dia ao Musée Baccarat, na Place des États-Unis; você verá todas as preciosidades criadas por essa fábrica de cristais, e ainda vai poder almoçar ou jantar no Cristal Room Baccarat, comendo e bebendo nas mais belas peças da grife — o que não é coisa que aconteça todo dia. Há um dedo de Philippe Starck na concepção do museu, mas distraia-se e esqueça. A cozinha não é fabulosa; horrível também não é. Aliás, onde foi que você, algum dia, comeu muito mal em Paris?

Se você já foi — ou até se não foi — ao Marrocos, e está com vontade de comer um bom cuscuz, o endereço certo é Rue de Bretagne, Chez Omar, no Marais. Não vá esperando grandes serviços nem muita elegância, e o lugar — que não faz reservas — fica tão cheio que seu ombro toca no ombro do seu vizinho. Quem sabe não é o ombro que você procurou a vida inteira? Omar é a simpatia em pessoa, e o cuscuz, dos melhores que existem. Peça com tudo a que tem direito: salsichas apimentadas, frango, carneiro, e, para acompanhar (e ficar no clima), um vinho marroquino ou argelino. Você vai passar uma noite bastante divertida e vai, sobretudo, comer muito bem.

Agora, se quiser fazer um programa diferente mesmo — e para isso é preciso gostar de vinho —, vá qualquer dia da semana ao Le Baron Rouge, na Bastille; a hora boa é onze, meio-dia. Lá dentro, não mais que três mesas, além de um grande tonel à guisa de mesa, em volta do qual os clientes se amontoam; a bebida vai sendo servida diretamente dos tonéis. Embora algumas pessoas levem suas garrafas para comprar o vinho, a maioria fica bebendo em pé, e, quando a coisa esquenta, dois ou três tonéis são postos na calçada, onde a festa continua. Quem quiser, pode pedir um pouquinho de *foie gras* ou um prato de *cochonneries* — vários tipos de salsichas — (o mais simples custa cinco euros), que são partilhadas por todos. Essas manhãs costumam ser muito alegres (claro), e há quem saia de lá trocando as pernas. Mas é um programão, e mais tipicamente francês, impossível.

Um lugar ótimo para jantar é o Le Voltaire, no Quai Voltaire, a dois passos de onde mora o ex-presidente Chirac. Os pratos são deliciosos: se você for chegado a comidas menos banais, peça *beignets de cervelle* (miolos empanados), *rognons* fatiados, rosados, ou um filé Rossini, com *foie gras*; vai se regalar. De sobremesa, *baba fondant*. Nesse restaurante você se sentirá um verdadeiro francês.

Os que gostam da cozinha de Nice não precisam ir até lá para se deleitar. Em pleno coração de Paris, um restaurante excelente é o Le Petit Niçois, na Rue Amélie, cujo *décor* é simples e elegante. A escolha é difícil: *beignets* de berinjela tão leves que só falta voarem, sardinhas e anchovas com molho de ouriço-do-mar, e uma *bouillabaisse* fantástica. Como sobremesa, um suflê de framboesas que vai te fazer ver como a vida é cor-de-rosa. E a felicidade nos pratos é completada pela gentileza dos garçons. Preste atenção num grande quadro no fundo da sala: uma dançarina dentro de uma enorme taça de champanhe.

Para quem foi a um cinema e não está com muita fome, o lugar ideal é o bar do hotel Raphael, onde poderá beber drinques perfeitos e comer maravilhosos sanduíches. Se o tempo estiver bom, suba ao terraço para ver a cidade, com o Arco do Triunfo em primeiro plano.

Um dia faça tudo diferente: não tome café, não almoce, atravesse a pé os lindos jardins das Tulherias e vá até as arcadas da Rue de Rivoli. Procure o número 226; é o Angelina, uma casa de chá que existe desde 1903, onde você vai tomar o melhor chocolate do mundo: denso, cremoso, divino. E, se tirou mesmo o dia para ser feliz, peça, para acompanhar, um *mont-blanc*, creme de castanha, com bastante chantilly, um delírio. Só aí devem ser umas 5 mil calorias, mas tudo bem; tudo ótimo.

Uma noite, éramos quatro amigos e decidimos ir a Pigalle, meio sem rumo. Entramos num bistrô, só que estavam fechando. Mas a *patronne*, simpática, resolveu nos servir. Enquanto isso, os poucos garçons faziam as contas em volta da caixa, bebendo seu bom *rouge*, claro. Não sei como, eles começaram a se animar e lembrar de canções antigas. Um disse: "Lembra dessa?", e cantou "Douce France, cher pays de mon enfance", e todos acompanharam. Depois veio "Que reste-t-il de nos amours", que todo mundo conhecia e cantou junto.

E as garrafas de vinho — aquelas da casa, sem rótulo — se abrindo e sendo consumidas. A essa altura já estávamos cantando com eles. Tivemos "Non, je ne regrette rien", "Les feuilles mortes", e o *gran finale* foi com "Je hais les dimanches" ("Eu odeio os domingos"), canção que Piaf cantava, e pelo entusiasmo parecia mesmo que todos, nós inclusive, odiávamos os domingos. Saímos de lá abraçados, ainda cantando, e tão envolvidos pelo clima e pelo *rouge*, que esqueci de pegar o nome e o endereço do bistrô.

Mas não pense que em Paris só se pode ser feliz gastando muito dinheiro: o cachorro-quente perto da Sorbonne; as *crêpes de marron*, queijo, geléia; as *gauffres* (espécie de churros) quentinhas; e os enormes sanduíches de baguete, de queijo (francês, claro), presunto (cru), patê; tudo maravilhoso e vendido na rua. E não tenha o menor pudor de sair comendo enquanto olha as vitrines. Afinal, você está de férias em Paris, para fazer exatamente o que tiver vontade.

E POR FALAR
EM SAPATOS

É claro que existem sapatos lindos em todos os bairros de Paris, mas, se você estiver querendo aquele tão deslumbrante que vai dar até pena de usar, se quer comprar os mais sensacionais sapatos de Paris — e quem não quer? —, vá direto à Rue de Grenelle. Lá você acha as grandes marcas, com todas as formas, todas as cores, todos os saltos, e sobretudo o que acabou de ser lançado. Lá, ou nas ruas vizinhas, estão Fratelli Rossetti, Roger Vivier, Sonia Rykiel, Walter Steiger, Christian Louboutin (aquele que faz todas as suas solas em vermelho), Sergio Rossi, Ferragamo, Todd's, Saint Laurent, e mais dezenas de grifes que a levarão, seguramente, a encontrar a felicidade. Quem parecia ter encontrado a sua era a atriz Andie MacDowell, que, com sacolas e sacolas nas mãos, procurava desesperadamente um táxi.

Mas, se você quiser sapatos menos sensacionais, com preços mais acessíveis, aconselho percorrer a Rue du Four e a Rue de Rennes, de ponta a ponta, e dos dois lados. É bem perto, dá para ir a pé, e o destino pode proporcionar surpresas. E, se estiver em grande forma física, e sem horário, dê um pulinho no Bon Marché, nas Galeries Lafayette ou no Printemps, pois provavelmente tudo o que você viu nas ruas mencionadas, vai achar ali.

Como toda mulher que se preza, sou louca por sapatos e botas. E, como jurei que não usaria mais salto alto, quase desmaio quando, de repente, vejo uma sandália salto 12; fico entre ela e uma bota de cobra (tudo a ver) — compro, não compro —, acabo levando as duas. Corro então para o Café de Flore, ali pertinho, e peço um copo de Chablis e um *croque-monsieur* para me refazer da emoção. Que manhã divina, essa. E pago o mico de abrir os pacotes e ficar olhando para meus tesouros. Mas que mulher não entende isso? Que garçom já não presenciou uma cena assim?

Detalhe: quando voltei para o Rio, vi que jamais usaria a sandália, até porque, como perdi o hábito, não sei mais me equilibrar em cima de saltos. Mas rapidamente soube o que fazer: ela foi para a estante, onde posso vê-la o tempo todo (e lembrar das minhas loucuras). E lembrar também que mulheres elegantes nunca usam salto muito alto. Alguns exemplos: Jacqueline Onassis; Lee, sua irmã; Audrey Hepburn; a duquesa de Windsor; Katharine Hepburn, com suas calças masculinas e camisas de seda, chiquérrima. Não estou me referindo às modelos quando desfilam, esse é outro universo, e sim à elegância verdadeira, sólida, que atravessa os anos. Aliás, na minha listinha esqueci de botar Chanel, que dizia que, se a mulher é pequena, não deve usar salto alto; uma simples questão de proporção. E, se Chanel falou, está falado.

E A ELEGÂNCIA,
POR ONDE ANDA?

Mas, se a moda está tão decadente, onde se vestem as elegantes? As mais inteligentes guardaram seus esplêndidos Saint Laurent, seus fantásticos Balenciaga, seus inacreditáveis tailleurs Chanel, e usam, no dia-a-dia, jeans com uma camisa divina ou um blazer sensacional, um sapato maravilhoso e uma bolsa idem, um belo suéter, e assim vão a qualquer lugar; para os grandes jantares, tiram do baú uma de suas preciosidades e são as rainhas da festa. As outras, que deram os vestidos às filhas ou às sobrinhas — e estas nunca sabem onde eles estão —, soluçam de arrependimento quando pensam que, agora, nem com todo o dinheiro do mundo poderão recuperá-los. A não ser que freqüentem as lojas *vintage*, onde se vende roupa usada; e assim mesmo se tiverem sorte.

A moda mudou. Adeus à alta-costura, adeus aos vestidos que embelezavam as mulheres. O que existe hoje deveria ter outro nome, diferente de "moda", pois essa terminou quando Givenchy, Valentino, Saint Laurent saíram do palco. Agora é outra coisa, em algumas ocasiões até divertida.

Tem os japoneses, que às vezes são por demais excêntricos, mas a cada ano surgem pequenas butiques em bairros menos óbvios, com coisas inacreditáveis. Essas butiques não anunciam, não saem nas revistas de moda, e ficam conhecidas pelo boca-a-boca. No ano seguinte podem ter perdido seu rumo, mas aí surgem outras, e assim tem sido. A minha preferida ultimamente é a Yuki Torii, escondida na Galerie Vivienne, perto da Place des Victoires. Agora, se ela sobreviverá no ano que vem é uma perfeita incógnita.

As lojas *vintage* são caras. Uma das mais famosas, no Palais Royal, é a de Didier Ludot. Nela você encontra os mais lindos vestidos, bolsas, sapatos, bijuteria dos anos 50, mas prepare seu cartão de crédito: é tudo mais caro do que nas lojas de alta-costura atuais. Porém, existem outras, até acessíveis à nossa modesta bolsa. Se estiver na Avenue Montaigne, vire na Rue Clément Marot e, uns vinte metros depois, na calçada da direita, vai logo encontrar uma delas — cujo nome não sei; mas você encontra fácil. Outra fica em Saint-Germain, numa pequena transversal da Rue de Buci; cansei de procurar o endereço no meu guia, sem achar, mas, se você quiser realmente, você acha. E nesse dia não deixe, mas não deixe mesmo, de ir ali ao lado, a três passos, à pequena praça de Fürstenberg, para mim um dos lugares mágicos e mais belos de Paris, onde foi rodada a última cena do filme *A época da inocência*, em que Daniel Day-Lewis prefere não subir à casa de sua amada, Michelle Pfeiffer, e fica sentado num banco, enquanto o filho dele sobe. Detalhe: a praça na verdade não tem bancos.

Voltando aos frufrus: tem também a coleção de roupas *vintage* mais sofisticada de Paris, Quidam de Revel, um brechó fechado que apenas aluga — que pena! — roupas para os estilistas mais importantes do mundo. As salas são divididas por décadas, e nelas há araras inteiras de Saint

Laurent, Paco Rabanne, Azzedine Alaïa, Issey Miyake, além de raridades como as primeiras peças desenhadas por Kenzo. Há ainda salas só de acessórios e sapatos. Mas ter acesso a esse tesouro custa caro. Para entrar e percorrer o brechó são quinhentos euros, e é preciso marcar hora. Você deve estar se perguntando por que eles alugam as roupas: é para que os novos criadores aprendam como eram feitos os vestidos, os tailleurs, os casacos.

Existem também brechós para os jovens que não estão nem aí para grifes. Na Rue des Rosiers (a rua é pequena, você encontra logo), há um sem nome, que tem escrito em cima "Coiffeur" (cabeleireiro). A média de preço dos vestidos, casacos, saias, blusas, suéteres é cinco euros. É, cinco euros. Não tem uma vez que eu vá a Paris e não dê minha passada pela Rue des Rosiers. E volto sempre com um pacotinho, do qual jamais me arrependo.

As francesas são elegantes, estão sempre bem penteadas — o clima seco ajuda —, e a cada esquina você vê um salão de cabeleireiro. Mas a coisa mais difícil é encontrar uma manicure; a não ser que você vá a um grande salão. E, quando encontra uma, vai pagar no mínimo trinta euros. Aliás, o que mais existe em Paris são salões de cabeleireiros; as francesas são incapazes de botar o pé na rua despenteadas. Nos mais simples, você é sempre muito bem tratada, também. Uma vez fui a um deles fazer uma escova, e o cabeleireiro me disse: "Se precisar, passe aqui amanhã que eu dou um retoque no seu cabelo, é uma oferta da casa".

E tem os chiquérrimos, caríssimos, dos quais só conheço Carita. É assim: todos os profissionais vestem um conjunto escuro com gola tipo Mao, e são bonitos, magros e elegantes. Lá não se escuta um único passo, uma única voz, apenas música clássica, bem baixinho. E, se um funcionário precisar falar com outro, faz um sinal discreto e vão falar longe da vista das clientes. Os cabeleireiros também não dirigem a palavra a elas, somente para perguntar como desejam ser penteadas. É um oásis de paz, freqüentar Carita. E a iluminação? Você se olha no espelho e se sente uma deusa. Custa caro: para um pequeno corte, xampu, escova, manicure, pedicure, conte 250 euros — fora a gorjeta. Mas vale a pena, ah, se vale.

PARIS MUDA

Mas Paris muda, e também para melhor. Em matéria de hotéis, perto da Gare du Nord há um novo chamado Hôtel Amour — bonito nome —, onde o balcão do bar é esculpido em gelo; com as recentes tecnologias, o gelo não derrete nunca. Para um hotel chamado Amour, no entanto, não seria mais adequado um bar com uma bela lareira? Se você for lá para almoçar, não deixe de pedir os *macarroni* recheados de queijo, crocantes, uma verdadeira delícia. E, dependendo da companhia, reserve um quarto para fazer a sesta, na melhor cama que pode existir, com almofadas e edredons de todas as cores. Isso é que é a vida — a boa.

Também foi inaugurado há pouco tempo o hotel Murano, lindo, todo branco. Logo na entrada se vê a lareira bem baixa, e suntuosos sofás Chesterfield em couro branco. A curiosa sala de jantar, vermelha e branca, tem luminárias semelhantes a estalactites que parece que vão cair em cima da cabeça dos clientes. Olhe mais em volta de você do que para o seu prato, vale mais a pena. Sobre os guardanapos brancos, blocos de papel e lápis coloridos, para você desenhar enquanto espera.

Um hotel não muito conhecido, e que é uma jóia, é o Pavillon de la Reine, em plena Place des Vosges. Vou começar falando sobre a praça, talvez a mais bela de Paris. Não sei bem por quê, mas sempre deixo para ir lá aos domingos. Construída em 1600, é a mais antiga da cidade; lindamente simétrica, suas casas são todas iguais, e uma arcada a circunda. Ali moraram Victor Hugo e o cardeal Richelieu, e aos domingos tem sempre música. A última vez que estive lá, um jovem tocava uma melodia tão bonita numa harpa que perguntei do que se tratava. Ele respondeu só o que sabia: era uma mazurca que um amigo lhe ensinara.

Mais adiante, uma pequena orquestra de doze pessoas executava a abertura da *Carmen*. Parei e fiquei ouvindo, lembrando de Sevilha, é claro. Sob os arcos existem galerias de arte, lojinhas de moda, cafés, restaurantes. Assim, se você quer passar um domingo maravilhoso, não hesite: vá para a Place des Vosges, sem hora para voltar.

Dê um grande passeio sob a arcada; você vai encontrar a butique de Issey Miyake, a Mademoiselle Vegas, definitivamente rock-'n'-roll, onde poderá fazer uma tatuagem (*fake*) tão perfeita que ninguém dirá que não é verdadeira. Também poderá comer um peixe ou uma carne por dez euros no Le Rouge-Gorge, ou comprar a bolsa dos seus sonhos na L'Echoppe à Sacs. Tem de tudo na Place des Vosges e no seu entorno, é só estar com os olhos bem abertos.

Agora, o hotel: um grande portão de ferro se abre para um lindo jardim, e é lá o Pavillon de la Reine — em frente ao Pavillon du Roi. A casa é coberta de folhagem verde ou vermelha, dependendo da estação, e a recepção é um encanto. São só 56 quartos, cada um deles decorado de maneira diferente, e dando para deliciosos jardins floridos. De um luxo discreto, a atmosfera não pode ser mais romântica. Se você puder, passe três dias lá com seu amor, pois serão três dias inesquecíveis. E, se não puder, passe também.

Uma amiga minha — um pouco louca — estava hospedada no Pavillon de la Reine. Passou por uma dessas feirinhas de rua, viu uma galhada de alce e comprou. O comprimento da peça alcançava quase dois metros, e ela a traria para o Brasil. No hotel, falou com o *concierge*, mostrou o objeto, chamemos assim, e disse que ele precisava ser embalado da melhor maneira possível, para não haver risco de acidente durante a viagem. E não é que o Pavillon de la Reine dispunha de um funcionário só para isso? Pois ele embrulhou o objeto com plástico-bolha, pôs espuma de borracha na ponta de cada chifre e papelão em volta. E mais: recusou-se a receber gorjeta, já que sua função era aquela.

O pacote foi primeiro para Londres, e chegou ao Brasil em perfeitíssimo estado. Detalhe: na galhada havia os nomes dos cachorros que tinham perseguido o alce e a data da morte do animal.

Bem perto desse hotel fica um dos grandes restaurantes de Paris: o L'Ambroisie. Uma das melhores cozinhas da França, três estrelas no *Guia Michelin*; e o *décor* italiano, todo florido e com tapeçarias, faz reinar uma atmosfera ideal para um romance. Jantar no terraço é um sonho, quando o tempo está bom. O menu traz, entre outros pratos, ravióli de lagosta; ovos *pochés* cobertos por uma musse de aspargos verdes, com uma colher de caviar Osciètre ao lado; um folhado de trufas (na estação) em cujo centro há uma lâmina de *foie gras* que perfuma todo o restaurante; e, de sobremesa, um mil-folhas de sorvete de pêra. Ah, e tem o capítulo dos queijos. O maître pergunta se o cliente prefere os suaves ou os picantes, três ou quatro qualidades são servidas, e o cliente é orientado sobre a ordem em que os queijos devem ser comidos.

Outro hotel bem charmoso e não muito conhecido é o Relais Christine, na calmíssima Rue Christine. Você passa pela porta e nem suspeita que se trata de um hotel; mas, ao entrar, verá uma grande *cour*. Vários dos quartos são duplex: sala embaixo e quarto em cima, ou vice-versa, com todo o conforto e bom gosto do mundo. É uma ilha de tranqüilidade a dois passos da confusão de Saint-Germain.

Mas luxo mesmo você vai encontrar no L'Hôtel, a cem metros do Boulevard Saint-Germain, no coração das galerias de arte e livrarias. Os quartos — somente vinte — são mínimos, porém têm todos os requintes imagináveis e inimagináveis — e no hotel existe uma piscina para apenas duas pessoas. É, duas pessoas. Dizem as más — e as boas — línguas que nesse hotel é que ficavam os grandes empresários gays que queriam encontrar seus amores, por isso ele era conhecido como Pavillon d'Amour.

O que me faz lembrar de um amigo meu, gay, que estava hospedado ali e perguntou ao *concierge* se seria possível subir no quarto com alguém que não fosse hóspede. Resposta: "Pode ser até um elefante, não há nenhum problema, desde que caiba no elevador".

Foi lá que viveu seus últimos anos e morreu Oscar Wilde. O quarto mais simples custa 640 euros, mas é fundamental ir lá pelo menos para tomar um drinque ou jantar — reservando, claro —, a fim de conhecer o hotel e sua escadaria, que é um esplendor. O L'Hôtel foi classificado em 2008 pela revista *Harper's Bazaar* como o melhor hotel urbano do mundo.

BREGUICE BOA

Já tinha ouvido dizer que o L'Atelier, de Joël Robuchon, não faz reservas, a não ser para as seis e meia da tarde. É isso, ou ficar esperando, pelo que me foi dito, duas ou três horas por uma mesa. Não, muito obrigada. Tenho o péssimo hábito de gostar de ser muito bem recebida onde quer que eu vá, e a vaidade dos novos chefs me deixa petrificada. Por quem se tomam eles? Por Deus? Só para que fique bem explicado: não existe hipótese de, sem ter feito reserva, você entrar num restaurante de Robuchon ou de Alain Ducasse, porque eles estão sempre cheios. E me impressiona que haja quem faça reserva com três meses de antecedência nesses restaurantes da moda. Até parece que em Paris não existem dezenas de lugares onde se come tão bem — ou melhor.

Uma nova estrela surge em Paris. A história começou há muito tempo. Ghislaine Arabia comandava a cozinha de um restaurante no interior da França, e seu marido tomava conta do salão. Para cozinhar, Ghislaine usava tamancos, como os das holandesas. Um dia ela achou que o marido estava se engraçando com uma cliente. Tirou os tamancos e deu-lhe uma surra em pleno restaurante — que, claro, fechou. O tempo passou, e Ghislaine abriu o Les

Petites Sorcières, na Rue Liancourt. Só para lembrar: ela foi chef do famoso Ledoyen, que já teve três estrelas.

Outra boa novidade é o Citrus Etoile, no VIIIème. Lá, é como nos vinhedos: as mesas são arrumadas em degraus ou, como dizem os franceses, *en espaliers*. Cada mesa tem um pequeno aquário com um peixinho vermelho que fica nadando, se exibindo para os clientes. O local está sempre cheio, cheio, cheio, para o almoço, e a especialidade é tudo o que vem do mar; só não vale comer o peixinho vermelho. Aliás, hoje em dia, em qualquer restaurante de Paris se vê uma turminha na porta, mesmo que esteja nevando, com um cigarro numa das mãos e um drinque na outra. Eles conversam animadamente e, quando o cigarro acaba, voltam para suas mesas.

Sejamos bem bregas; por uma noite, ao menos. Então vamos jantar no Jules Verne, na torre Eiffel; mas é preciso reservar no mínimo três semanas antes, já que o sonho de um bom turista é jantar lá em cima. Um elevador especial leva até o restaurante, cujo *décor*, renovado recentemente, desaparece diante da vista da cidade e do rio Sena.

É fundamental chegar quando o dia ainda está claro, e tente conseguir uma mesa perto da janela. Enquanto você toma um copo de champanhe bem fresco, a noite vai chegando e imediatamente as luzes de Paris se acendem, de uma vez só. É um espetáculo de cortar a respiração. Peça uns *raviolis de coquilles Saint-Jacques*, um *rouget* com sumo de trufas, e termine com a torta *soufflée* ao limão. Você vai pensar que está delirando. E, como estamos no terreno da breguice, vamos até o fim: faça um passeio de *bateau-mouche*, também logo antes de escurecer, e veja, de outro ângulo, as luzes de Paris se acenderem.

Isso me lembra o casamento de uma italiana amiga minha, da família Visconti, cuja mãe era francesa. As discussões sobre como e onde seria a cerimônia duraram um ano; venceu a mãe: seria em Paris. Mas casamento é aquela encrenca: vem a irmã, com os filhos pequenos do primeiro casamento, o ex-marido com a nova mulher e o bebê recém-nascido, as avós, bisavós, trisavós, uma salada difícil de administrar. Além disso, a mãe, muito sensata, viu que a lista dos amigos dos noivos era infinitamente maior que a da família, isto é, seria complicado — como é sempre — o entrosamento entre as duas turmas.

Num lance de gênio, ela organizou um belíssimo almoço no Ritz para todos os familiares e nem um só amigo dos noivos. Deu tudo certo, às cinco horas já tinha acabado, e a noiva foi descansar; mais tarde, voltaram o cabeleireiro e a maquiadora, a noiva pôs um vestido bem sexy e foi receber os amigos para uma festança no *bateau-mouche*, onde se proibiu a entrada de pessoas da família. A comemoração terminou com o dia claro, todo mundo se divertiu muito, e, para mim, essa ficou sendo a solução ideal para qualquer casamento.

ALTAS HORAS

Quando cheguei a Paris, a diferença de fuso horário e a excitação da viagem não me deixavam dormir. Foram assim as três primeiras noites. Na quarta, às três da manhã, já desesperada, pensei em tomar uma bebida forte que me derrubasse.

Mas meu hotel é pequeno, não tem serviço de quarto, e, à noite, só um porteiro e mais ninguém. Perguntei se ele tinha alguma bebida ali, ele disse que não. Pedi então que olhasse se o café ao lado estava aberto. Estava, sim; menos mau.

Um jeans, um *pull*, um casaco, entrei direto no café e pedi uma dose dupla de uísque. Só que eles já estavam botando as cadeiras em cima da mesa, e francês, sabe como é. Implorei pelo uísque, disse que pagava mais, nada feito. Perguntei se havia algum bar lá por perto que ainda estivesse aberto, e — Deus é grande! — havia, vinte metros adiante. Lá fui eu.

O bar se chamava Old Navy, era bem estranho, enfumaçado, e de francês não tinha nada; mas tudo bem. Pedi meu uísque e, enquanto ele não chegava, fiquei me distraindo com uma mania que tenho: conto quantas pessoas há no lugar e quantas servindo. Resultado da contagem: um só funcionário para servir, dar a nota, pegar o dinheiro, dar o troco. Quantos clientes? Vinte e três — e todos homens.

Tremi nas bases e, no meu pânico de não dormir, pedi outro uísque, dessa vez duplo, disse que queria pagar o copo para levar para o hotel. Imagina, o copo era oferta da casa. E lá saí eu, a essa altura já três e meia da manhã, com um copo de uísque na mão, sozinha no Boulevard Saint-Germain. Todos, inclusive o meu *concierge*, achando que eu era uma alcoólatra, é claro. No dia seguinte contei o fato a uma amiga, estranhando que quase todos os homens usassem uma camiseta verde-bandeira. Ela aí me explicou que aqueles eram os funcionários que recolhiam o lixo de madrugada e depois iam beber alguma coisa no bar.

Nessa noite eu tive muita vontade de ser homem; poder percorrer as ruas desertas, com suas vitrines fechadas, e admirar Paris vazia, sem enfeites, sem nada do que nos impede, durante o dia, de ver a maravilhosa cidade que ela é: bela como uma bela mulher nua. Atravessar o Sena e descer o Champs-Élysées, depois ir à Place Vendôme, subir a Avenue de l'Opéra e ver a Opéra lá no fundo, sem uma só pessoa ou um só carro poluindo o visual. Como seria bom, como seria lindo. Eu sentiria que Paris era toda minha.

AS MANCHETES DO JORNALEIRO DO CAFÉ DE FLORE

Uma amiga marroquina, muito rica, chegou do México e resolveu rever seus amigos. Convidou-os para um jantar no Laurent, nos jardins dos Champs-Élysées (ao lado do Palais de l'Elysée). Como era primavera, já quase verão, demos a sorte de ter nossas duas mesas (de dez lugares cada uma) no jardim, debaixo de um pára-sol laranja; fomos logo envolvidos pelo balé dos garçons, muito elegantes, de colete preto.

Ainda estávamos de pé, esperando pelos retardatários, olhando a decoração e as flores, quando nos foi servido um copo de champanhe rosé, acompanhado de finíssimos *grissini* enrolados em finíssimo presunto defumado. É preciso que fique claro: no Laurent, esteja você vestida como estiver, vai achar que não está suficientemente elegante. O *décor* é tão lindo, as luzes rosa tão perfeitas, os garçons tão gentis, que você vai se sentir sempre aquém. Mas, quando os pratos começam a ser servidos, você esquece de tudo.

Primeiro vieram os *raviolis de foie gras*, depois uma *araignée de mer* — espécie de siri gigante — em geléia, e *langoustines en beignets* tão leves que só faltava voarem.

Para continuar, um filé de peixe com creme de erva-doce e um pequeno pombo praticamente dourado (desossado, *bien sûr*), recheado de *champignons*. Deixaram apenas os ossos das perninhas, para que os clientes pudessem comer com as mãos. As sobremesas, bem leves: creme de amêndoas com framboesas, um esplêndido *soufflé au Grand Marnier* e calda de tangerina, e todas as variações em torno do chocolate. Ah, e os vinhos, cuja escolha foi do *sommelier* do restaurante, que tem um ar muito bizarro (não o restaurante, o *sommelier*). Num lugar desses, é para se deixar levar e esquecer da conta no banco — felizmente éramos convidados.

No dia seguinte resolvi passear no bairro dos imigrantes, que fica em Clichy, perto do Marché Saint Pierre, onde os grandes (e pequenos) decoradores compram os tecidos e repassam a seus clientes por um preço dez vezes maior. Fui andando, para ver o que achava de interessante, quando dei com uma casa de tecidos africanos absolutamente maravilhosos, diferentes de tudo o que já tinha visto no mundo. O curioso é que em alguns, na ourela, estava escrito "Made in Holland". Tudo bem. Duas africanas, que mal sabiam falar francês, atendiam, enquanto três amigas conversavam, sentadas no chão. Todas de bubu, sem me dar a menor bola, e eu louca, sem saber o que levar. Quase comprei os panos todos, e dali fui para a filial de minha casa, o Café de Flore, onde tomei meu *verre* de Chablis, como sempre. E disposta a voltar.

Já eram umas cinco da tarde quando no Flore, e depois nos cafés vizinhos, entrou o jornaleiro. Ele é rápido, fala rápido, desaparece rápido, e é conhecido por todos os freqüentadores habituais. Bem informado, anuncia as manchetes do dia, e, se você não o conhece, acredita e compra o jornal. Os que o conhecem, riem e também compram, até por simpatia pela sua esperteza. Exemplos de manchetes que ele costuma gritar, alto e sério, nos cafés e até na rua: "Carla Bruni encontrada na cama com seu segurança"; "Está provado: Barack Obama é gay"; "Sarkozy fazendo show num bar de travestis"; "Berlusconi preso por pedofilia".

Um dia tomei coragem e perguntei a ele se não tinha medo de que o prendessem. E sabe o que ele me respondeu? Que, para começar, os guardas eram os primeiros a achar graça, e mais: que, do jeito que o mundo vai, o que não é verdade num dia pode muito bem ser a verdade do dia seguinte, e, assim, ele se considerava uma espécie de arauto do futuro. Aí, deu uma gargalhada e foi embora, apregoando bem alto suas manchetes. Pensando bem, aquele jornaleiro pode ter razão.

OS GRANDES MAGASINS

Sempre que fui a Paris — e foram muitas vezes —, uma das minhas obrigações era ir às Galeries Lafayette. O sofrimento começava na véspera, mas eu não conseguia me libertar desse sacrifício. Dormia cedo para chegar cedo, na esperança de encontrar a loja mais vazia; mas que nada. Se você chega cedo, as vendedoras nem te olham, pois estão contando à colega o que fizeram para o jantar no dia anterior, o que o marido disse, numa conversa que não acaba nunca.

As Galeries são um formigueiro, com gente apressada comprando, comprando, comprando. Mas vamos ser sinceros: lá você encontra praticamente tudo o que existe em todo o comércio da cidade, do vestido mais caro de Chanel ao espremedor de laranjas de plástico mais ordinário. Você passa o dia ali e não consegue ver metade da loja; há sapatos de quase todas as marcas, lingerie idem, e o subsolo, dedicado aos utensílios de cozinha, enlouquece um chef, pois lá ele vai achar coisas que nem sabia que existiam. E tem o departamento de bebês, o de crianças, a papelaria, cama e mesa de todas as grifes e cores, peles, jeans, a seção de maquiagem, maior do que qualquer shopping brasileiro, as grandes marcas, o que está em liquidação, e isso com centenas — ou seriam milhares? — de mulheres olhando tudo, mexendo em tudo.

E tem mais: a dois quarteirões de distância fica o Printemps, tão enorme quanto, e também com tudo o que se possa desejar. Aliás, já que você está tão perto, por que não aproveitar e dar um pulinho no Printemps? Resultado do dia: uma mulher destruída, arrasada, querendo só uma coisa na vida: sossego, e nunca mais ouvir falar de compras. E vendendo a alma ao diabo para arranjar um táxi.

De uns quatro anos para cá, tomei uma decisão: não ponho mais meus pés naquele pesadelo, e minha vida virou um paraíso. Quando tenho umas comprinhas para fazer, dessas que só as Galeries resolvem, vou ao Bon Marché, que era meio sem graça mas se transformou num *magasin* de bom gosto, com sofás de couro para você descansar, se for necessário — e sempre é —, e onde se encontra tudo, ou quase tudo, de que se precisa. E onde tem muito menos gente circulando. Mesmo estando em hotel, vá à seção de alimentação do Bon Marché e babe de vontade de comprar o que vai ver. Essa seção é maior do que qualquer supermercado que conheço, e tudo o que eu queria era ir de táxi até lá, fazer minhas compras e voltar para casa, sem nem olhar para Paris.

Mas é preciso, pelo menos uma vez na vida, ir às Galeries Lafayette: o prédio, de 1873, é um deslumbramento da arquitetura *belle époque*, e seu teto em *vitraux* e sua escadaria *art nouveau* valem a visita. E duas vezes por ano há as grandes liquidações: a de verão e a de inverno. Elas costumam acontecer nos primeiros dias de janeiro e de julho, e aí é uma loucura sem fim, tal a quantidade de gente que espera para comprar de tudo com 40%, 50% de desconto.

Se você for, tome antes um tranqüilizante e um energizante, e vá disposta a talvez enfrentar uma briga — física, de verdade — com alguém que quer a peça que você escolheu (ou vice-versa). É uma guerra, tão violenta quanto qualquer guerra, mas você pode sair de lá com troféus que não terão custado quase nada.

BRINCANDO
DE MORAR EM PARIS

Existem privilegiados que têm um apartamento em Paris — já pensou que delícia deixar suas roupas de inverno, suas botas, peles, tudo arrumado nos armários, e viajar com uma mala pequena, sabendo que vai encontrar tudo lá? Eu não tenho inveja dessas pessoas, porque não gosto de me separar de minhas coisas, mas acho que seria bom "brincar de casinha" em Paris.

Hoje em dia isso não é tão difícil; no VIIIème, perto dos grandes e luxuosos hotéis, já existem apartamentos de muito bom gosto para alugar por semana ou por mês, com tudo de que se precisa, da roupa de cama ao microondas — e com serviço, isto é, uma empregada para arrumar a cama, lavar a louça etc. Um *studio* de quarto e sala custa, tudo incluído, 3 mil euros por semana, e um maior, com três quartos, 10 mil. Barato não é, mas, para quem viaja com crianças, ou mesmo se forem dois ou três casais que se dão muito, mas muito bem mesmo, até que vale a pena. E Paris é uma cidade onde qualquer pessoa pode se divertir bastante na cozinha.

Quem quiser dar um jantar e não quiser ter o menor trabalho, basta encomendar ao Lenôtre, e eles se encarregam de tudo. É o bufê (que lá se chama *traîteur*) mais famoso de Paris, e que costuma servir jantares para até 4 mil pessoas — o que não será seu caso, acredito. Porém, se for essa sua vontade, alugue a Conciergerie, onde poderá convidar até 1200 pessoas, ou um *bateau-mouche*. E até um castelo, como fez Ronaldo Fenômeno para seu casamento. São muitos, é só escolher. Mas, se preferir brincar de dona-de-casa, vai se divertir muito mais.

Agora, algumas informações preciosas para suas compras domésticas:

Comece indo ao mercado, e os melhores da cidade são o do Boulevard Raspail, aberto só aos domingos, o mais chique e esnobe de todos, onde você poderá cruzar com cantores e artistas; depois o de l'Alma, na Avenue du Président Wilson, aberto às quartas e sábados, e o Poncelet, um pouquinho mais longe, no XVIIème. Neles você vai achar os legumes mais variados, as frutas mais frescas, e coisas que nunca viu na vida; o perigo é comprar mais, muito mais do que precisa.

Café: vá ao Verlet, onde se encontram os de origem pura, como o da Colômbia, o moca, o da Etiópia, ou o raro, e muito chique, *papouasie*, da Nova Guiné. E misturas bem equilibradas, como o Imperial — dez arábicas de oito países diferentes — ou o três arábicas, da América Central — colhido entre oitocentos e mil metros de altitude.

Caviar: o rei incontestável é Petrossian. É o templo do caviar, e os Petrossian dizem: "Vendemos sonhos". Lá se encontram também todos os peixes defumados (peça o ventre do salmão, é divino), todas as vodcas, e até mesmo um bom *foie gras*.

Chocolates: os chocólatras não podem desconhecer Hédiard. Não deixe de provar os chocolates recheados de amêndoas e *noisettes*, e leve uma boa quantidade para casa, para comer à noite, vendo televisão. Mas existem divergências: há quem diga que os melhores do mundo são os da La Maison du Chocolat. Prove dos dois e depois me conte.

Foie gras: Ambassade du Sud-Ouest oferece todo tipo de *foie gras*: de ganso, de pato, cru, em terrina, em semiconserva ou em conserva. Informação cultural: quando foi inventado o *foie gras*, os gansos só eram alimentados com figos; por isso, se você encontrar um *foie gras* recheado de figos, não hesite. Mas, por via das dúvidas, compre também o recheado de trufas, que parece feito pelos anjos.

Queijos: aí começa a complicar. São tantas as esplêndidas *fromageries* de Paris, que é impossível dizer qual a melhor. La Maison du Fromage é muito prestigiada; Giscard d'Estaing até deixou uma dedicatória na casa, falando da diversidade dos queijos, que fazem a França "tão agradável para viver e tão difícil para governar". Mas a equipe de Androuët tem tanta paixão pelos queijos, que viaja pelo país inteiro em busca dos pequenos produtores; em sua *maison*, produtos industrializados, jamais. E não se acanhe, nunca, de perguntar que queijo deve levar, pois existem aqueles para ser degustados em janeiro, outros, em fevereiro, outros, em março etc., e ninguém melhor que um *fromagier* para te aconselhar. Aproveite para saber também qual vinho tomar com cada queijo, porque isso é de extrema importância. E paramos por aqui, ou não vamos acabar nunca.

Outro endereço precioso é o da Ferme de Saint-Hubert, cujo dono é um (outro) profundo conhecedor de queijos. Peça sua opinião, diga que tipo prefere, e não deixe de levar um pequeno Saint-Marcellin, dos melhores que há. Você não vai se arrepender, garanto.

Aves: são muitas, são tantas, que não acredito que alguém de passagem por Paris ouse querer fazer uma galinha assada. Mas pode comprar um *poulet* de Bresse, branco, que vem lindo, com as penas todas em volta do pescoço, como se fosse uma vedete do Folies Bergère, e a crista vermelha dando o toque final. E pendure na cozinha, só para enfeitar.

Ostras: Charlot — Roi des Coquillages. Charlot faz chegar à sua casa, na hora exata que tiver sido marcada, uma bandeja de ostras, o que seria uma bela entrada para um jantar. Mas você tem que saber que tipo de ostras quer, pois a variedade é enorme — ou peça um *plateau* variado. E não se esqueça do vinho branco.

Sobremesas: vá direto ao ponto e encomende *chez* Lenôtre; são das melhores de Paris.

Chás: o Mariage Frères tem mais de duzentos tipos de chá em sua charmosa lojinha, chás de todas as partes do mundo. E, já que é apreciador, leve também uma geléia de chá, para passar na torrada. É uma total delícia.

Vinhos: como não domino o assunto, aconselho ir ao Fauchon e se aconselhar com um especialista, que não te deixará errar. E aproveitando: se tiver uma súbita vontade de comer uma feijoada, Fauchon tem absolutamente todos os produtos estrangeiros, da couve ao maracujá, do feijão ao quiabo, da tapioca ao azeite de dendê e ao leite de coco. De lá você não sai de mãos vazias.

Mas, se estiver com uma certa preguiça de andar por Paris — será que isso é possível? —, é só ir ao subsolo do Bon Marché que vai encontrar praticamente tudo de que precisa para encher de coisas deliciosas sua geladeira.

MEU QUARTIER AMADO

Deixei para o fim meu *quartier* amado, que vai da Rue du Dragon (em frente ao Flore) até o Odéon.

Por que "meu *quartier* amado"? Primeiro porque ando de um lado para outro, a pé, não tenho que reservar o restaurante e chegar pontualmente, e a isso chamo liberdade, coisa que prezo muito. Talvez seja por essa razão (também) que eu adoro tanto Capri e Veneza, cidades em que não existem carros, você só caminha, e escolhe onde vai almoçar ou jantar pela cara do lugar.

O Flore é o melhor café que existe; lá você pode sentar com um jornal ou um livro, pedir um café e ficar o dia inteiro, sem ninguém te incomodar. Os sanduíches são ótimos, tem todo tipo de vinho e champanhe, que se pede por copo, e o mundo inteiro passa na sua frente, sem que você se mova. Foi numa mesa anônima do Flore que surgiu o embrião do existencialismo, graças a um célebre encontro entre Sartre, Simone de Beauvoir e Raymond Aron. Ao lado tem uma livraria maravilhosa, a La Hune, aberta até a meia-noite, onde se acha qualquer livro que se queira.

E atenção: a metros de distância há outro café, o Deux Magots, bem parecido com o Flore, mas em Paris é preciso escolher: ou você é Flore, ou você é Deux Magots. Eu sou Flore. Se bater uma fome pequena, você resolve seu problema ali mesmo, mas, se for daquelas maiores, é só atravessar a rua e entrar *chez* Lipp.

Lipp é a *brasserie* mais tradicional de Paris, e existe desde 1880. Até hoje nada foi mudado: nem as cadeiras, nem as mesas, nem a soberba cerâmica da sala do fundo, à qual só têm acesso os famosos ou os muito elegantes. Os freqüentadores do Lipp sempre foram artistas, políticos, jornalistas e literatos, entre eles Malraux, Saint-Exupéry, Verlaine, Gide, Proust, Camus, que se misturavam — dependendo da época, é claro — a Michelle Morgan, Françoise Sagan, Danielle Darrieux. Presidentes da República também iam ao Lipp, como Pompidou, Giscard, Mitterrand e Chirac.

Mitterrand estava almoçando lá quando soube da morte de Pompidou. Saiu correndo, e o garçom atrás, com a nota. "Mandem para o Elysée", disse ele, tal a certeza de que sucederia a Pompidou, o que, aliás, não aconteceu. Outro episódio que incendiou Paris foi quando o líder nacionalista marroquino Ben Barka chegou ao Lipp para almoçar, em 1965. O almoço era uma cilada: seqüestraram Ben Barka, ele desapareceu, e seu corpo nunca foi encontrado.

O Lipp é freqüentado por todo tipo de gente, um verdadeiro patrimônio nacional; no entanto, não tem nenhuma pretensão de pertencer ao altar da alta gastronomia. Mas come-se bem, lá; o *entrecôte* é excelente, o *steak tartare*, idem, e o famoso playboy Porfirio Rubirosa dizia que, vindo de qualquer viagem, só chegava de fato a Paris depois de almoçar no Lipp.

Você também pode, se preferir, andar não mais que dez metros e comer uma salada com um copo de vinho no café Armani, no segundo andar do Emporio Armani. Lá é tudo uma delícia, e, se for final de novembro, início de dezembro, será tempo das trufas brancas, que, raladas na hora em cima de um espaguete na manteiga ou de um risoto, têm que ser provadas pelo menos uma vez na vida. Para você não dizer que não avisei: são bem caras. Caras porém inesquecíveis. Aproveite para fazer um tour pelo Emporio e vai ver que ele deu uma caída (o Emporio, não os preços). Mas basta atravessar a rua (de Rennes) para cair de boca na Zara, que é uma loja perigosa, pois, de tão barata, faz com que se compre aquilo de que não se precisa e nem se gostou tanto. Eu costumava sair dali cheia de sacolas, mas agora já aprendi: guardo as notas fiscais, para poder trocar tudo, se quiser. E sempre quero.

O Welcome, hotel em que me hospedo há vinte anos, é simples — até simples demais. O quarto é mínimo, não tem frigobar, minha garrafa de água mineral sou eu quem compra no supermercado, mas em compensação sou tratada como uma rainha. Fica bem na esquina da Rue de Seine com o Boulevard Saint-Germain, e lugar melhor eu não conheço.

Grudada à parede do hotel existe uma casa de queijos, onde posso sentar a qualquer hora e escolher entre as dezenas de qualidades; o vinho para aquele queijo será recomendado pelo dono da casa. Na porta seguinte uma tabacaria, muito prática para o tempo em que eu fumava, depois uma casa de chocolates, logo depois o Da Rosa, espanhol com deliciosas *tapas*, em seguida uma farmácia, e logo depois um mercado de legumes e frutas da época. Compro sempre um punhado de cerejas e levo para comer no quarto; esse é dos meus grandes prazeres.

Do outro lado da rua, um enorme supermercado com absolutamente tudo o que você possa querer, e a partir das cinco da tarde chegam os sanduíches, fresquinhos, de salmão, presunto cru ou cozido, *crudités*, que, se bater aquela fome de antes do jantar, são providenciais. Logo depois é o Chez Paul, uma casa de chá onde se comem os melhores croissants e brioches da cidade, e onde num dia de frio (e de loucura) você pode pedir com um chocolate quente coberto por uma montanha de creme. Já estamos na esquina da Rue de Buci.

Virando à direita e atravessando a rua, temos o *pâtissier*, o homem do sorvete Häagen (impossível eu saber esse nome), a lojinha que vende somente *foie gras*, outra que vende qualquer tipo de meia, e que te acode quando você rasga sua última, uma livraria só de livros de arte desses bem modernos, um pequeno restaurante chinês onde você come por quinze euros — com o vinho incluído. Detalhe: todo esse comércio fica aberto até as nove da noite.

Há então o *carrefour* onde se encontram as ruas Mazarine, a Saint André des Arts, que é a rua das *crêpes*, a de l'Ancienne Comédie, e a Dauphine. Em qualquer uma que você virar, vai ver galerias de arte, lojas étnicas, livrarias — cada uma especializada num determinado gênero de livros —, e o Carrefour de l'Odéon, onde poderá escolher entre uns quinze filmes.

No Boulevard Saint-Germain, virando à esquerda, você chegará a Saint-Michel, bairro dos estudantes, onde está a Sorbonne. O comércio vai mudando, os artigos ficando mais baratos, mais dirigidos para a garotada. Já se virar à direita, vai parar no centro do consumo de luxo, onde estão as mais lindas butiques, cada uma competindo com a outra, trocando as vitrines todos os dias, baixando os preços, fazendo liquidações fora de hora, para vender, vender, vender.

Se tiver um amigo padre e quiser levar um presente para ele — uma batina, por exemplo —, é só subir a Rue Bonaparte até chegar a Saint-Sulpice, onde estão concentradas as lojas de artigos religiosos. E, se der sorte, até cruza com Catherine Deneuve, que mora bem ali.

Se amanhecer num daqueles dias em que não pode nem ouvir falar em consumo, suba a Rue des Tournons, onde foi a primeira butique de prêt-à-porter de Saint Laurent, vire à esquerda, e estará num dos mais belos jardins de Paris, o Luxembourg, com seus vários casais de namorados. No inverno, as árvores ficam nuas, sem uma só folha; no outono, as folhas ficam vermelhas, e o chão também coberto de vermelho — as famosas *feuilles mortes*; no início da primavera, elas são verde-clarinhas, e, no verão, escandalosamente verdes. Seja qual for a estação do ano, o jardim é sempre um passeio deslumbrante, e um bom freio no frenesi que é Paris.

E, descendo a Saint-Michel, você pode ir até o Sena, caminhar pela margem, vendo em frente a Notre-Dame e guardando no coração esse momento precioso. Você sabe, agora, por que amo tanto esse *quartier*.

SIGNORI E SIGNORE, ROMA

Roma é divertida, trágica, arcaica, divina. Roma é sexy, e só estando lá se vai saber o que se pode esperar da cidade. Mas ela continua como era nos anos 60, e lá faz um calor pavoroso — pior que o calor de Cuiabá. Na maioria dos lugares não há ar-condicionado, nem mesmo em lojas e restaurantes de luxo.

Eu não ia a Roma havia muito tempo, mas pouca coisa mudou. Os telefones dos amigos continuam os mesmos, só se acrescenta um 06 antes, todo mundo mora nos mesmos lugares — claro, não há mais vagas no centro histórico, que é o que conta, e a periferia de Roma é uma Barra da Tijuca sem mar.

A lembrança que eu tinha era de uma cidade efervescente, com uma vida noturna tão animada quanto a de Paris, ou mais. No entanto, encontrei uma cidade tranqüila, cheia de turistas — e apenas turistas — de máquina fotográfica no pescoço, sandália e meias. E, se você estiver num local turístico — e em Roma quase todos são —, para poder atravessar a multidão tem que dizer *scusa* ou *excuse me*. E vou logo avisando: não vou falar do Coliseu, do Pantheon, do Vaticano, da Fontana di Trevi, que estão iguaizinhos.

Meus primeiros momentos em Roma foram no táxi. Eu havia perguntado qual seria o preço da corrida até o hotel, ele me disse sessenta euros. Quando chegamos, estendi uma nota de cem euros, e o motorista, cheio de sorrisos, agradeceu muito a gorjeta. Eu disse que estava esperando o troco, que ele me deu, com a mesma cara-de-pau e os mesmos sorrisos. Pronto, estava *mesmo* em Roma.

Quem teve a sorte de conservar um apartamento num dos velhos *palazzi*, não sai de lá por nada deste mundo. Quem não teve, mora fora da cidade, em vilarejos. Aliás, quem mora num magnífico apartamento com terraço, que pode ser visto quando se desce a escadaria da Piazza di Spagna, é um dos Visconti, e quem tinha uma mansarda do lado esquerdo de quem desce era Sophia Loren — nada mau como endereço. E a escadaria, como em todas as primaveras, está deslumbrante, coberta de vasos enormes de buganvílias, misturados com os vendedores de bolsas *fake* espalhadas pelo chão. Mas as casas, que eram em terracota, começam a ser pintadas de outras cores. Roma está mudando aos poucos, porém continua maravilhosa.

O único lugar onde a noite é alegre e animada é o Trastevere, que era um bairro totalmente popular mas já há algum tempo está virando classe-média. Isso porque a cidade é rodeada por sete colinas e não tem para onde crescer. Apesar de se comer muito mal, as *trattorias* no Trastevere estão sempre cheias, famílias com filhos pequenos, jovens, gente mais velha, todos cantando numa grande alegria. E comendo muito, e bebendo muito, e falando muito — e alto. Pergunte a qualquer garçom se ele não saberia cantar para você o "Stornelli Romani" (todos sabem), e, assim que ele começar, todo mundo cantará também. Sempre que Ana Magnani ia ao Trastevere, pediam que cantasse, e ela respondia que sim mas que precisava jantar antes. E, quando cantava, todos acompanhavam, e a noite virava uma festa.

Mas a famosa Via Veneto, onde está situado o hotel Excelsior, onde ficavam as estrelas de cinema (foi lá que Anita Ekberg levou uma bofetada do marido, devidamente fotografada, e que correu mundo) e onde surgiram os *paparazzi*, que faziam plantão dia e noite à espera da entrada e da saída dos artistas, está mais calma e silenciosa que um cemitério. Os hotéis continuam lá, mas a rua, a partir das onze horas, fica deserta. Na Piazza Navona e no Campo dei Fiori ainda há algum bochicho, mas nada de fazer cair o queixo.

Cheguei a Roma muito bem recomendada a um amigo de uma amiga, um ainda belo homem de 83 anos, elegantíssimo, que me convidou para jantar. Mora em Frascati, cidadezinha de 3 mil habitantes a trinta quilômetros de Roma, pois tem horror a grandes cidades.

Ele chegou pontualmente às nove horas, de blazer de cashmere, gravata, suéter também de cashmere, lindos sapatos, num carrinho Morris do último tipo, de teto transparente.

Fomos ao tradicional Hotel Eden, na Via Ludovisi, de cujo restaurante, no último andar, se vê Roma inteira, um deslumbramento. O hotel existe há anos, mas foi todo reformado, e o bar e o restaurante têm uma decoração discreta mas de extremo bom gosto. E levei um susto quando vi, numa mesa vizinha, dois padres, de batina e tudo, tomando um drinque. Aliás, padres e freiras nas ruas de Roma é o que não falta.

Depois do jantar, Luciano — esse é o nome dele —, muito gentil, deu uma grande volta de carro comigo, me mostrando os *hits* de Roma, como o Coliseu, o Pantheon, a Via Appia, o Vaticano. Encantei-me com tudo, como a cada vez. E ele me fez ver uma curiosidade: na Piazza Venezia, de onde discursava Mussolini, num *palazzo* que faz esquina com a Via del Corso, há uma pequena varanda fechada com treliça que não tem nada a ver com a arquitetura do restante. Trata-se de um apêndice que Napoleão mandou fazer para que sua mãe, Letizia, pudesse ver a rua, sem ser vista. Napoleão podia tudo, claro. Só para lembrar, nessa praça há um dos monumentos mais feios que podem existir, homenagem a Vittorio Emanuelle. Passemos.

Todas, absolutamente todas as construções do centro histórico continuam lindas a qualquer hora do dia e da noite. Fui dormir cedo, já com um programa para a noite seguinte: uns amigos da filha de Luciano, Jennifer, estavam deixando Roma e dando um coquetel para se despedir do apartamento, já sem móveis.

Ela foi me buscar com o marido, mas como estacionar o carro, naquelas ruas estreitas? Ora, ninguém está nem aí: estacionam em qualquer lugar, bloqueiam a saída dos outros carros; quando os donos desses outros carros chegam, eles começam a gritar, empurram o que está atrapalhando, e este passa a atrapalhar ainda mais o trânsito, pois acaba ficando bem no meio da rua. Detalhe: é por esse motivo que na Itália ninguém usa freio de mão, e é um insulto querer que um italiano obedeça a qualquer regra de trânsito. É compreensível a tolerância dos policiais, eles sabem que não podem multar a Itália inteira.

Subimos alguns lances de escada e chegamos ao apartamento, e que apartamento! Eram os três últimos andares de um *palazzo*, com vários terraços, e de cada um deles se via um dos lados de Roma. O elenco da festa parecia escolhido por Fellini. Havia mulheres chiquérrimas, mulheres discretas, outras louquíssimas, com cabelos desgrenhados, roupas tiradas não sei de onde, bocas vermelhas de coração que iam quase até as orelhas e olhos pintados de carvão. Todos muito simpáticos, garçons servindo todo tipo de bebidas, deu para conhecer um pouco do *bel mondo* de Roma.

E fica-se íntimo de um romano em cinco minutos. Eu estava conversando num grupo de umas cinco pessoas quando chegou um italiano, esbaforido. Contou — a todos — que estava paquerando uma mulher fazia horas, quando de repente ela, com a maior tranquilidade, disse a ele que não perdesse seu tempo: eles já haviam transado no ano anterior, em Veneza. E ainda acrescentou que achava que uma segunda vez não valeria a pena. Ele estava passado; por sua falha de memória e por ter entendido que a transa não tinha sido lá essas coisas. E perguntava: o que faço? O que faço?

Para mulheres carentes e com a auto-estima em baixa, Roma é um bálsamo. Os italianos continuam os mesmos: dizem galanteios, se jogam aos pés, cantam, prometem amor eterno, casamento e felicidade. É que eles vivem uma vida duríssima com as italianas, que os tratam no chicote — é a terra da *mamma* —, e, quando vêem uma estrangeira, ficam loucos. Os homens romanos, lindos, são, veramente, um caso à parte. Românticos até quando mentem — ou não mentem, porque acreditam no eterno amor que juram naquele momento. E todos amam de paixão, mas no dia seguinte não sabem se suas amadas da véspera estão vivas ou mortas.

UM PLAYBOY
TIPICAMENTE ITALIANO

Luciano tem uma história curiosa; segundo minha amiga, que o conhece há séculos, nos tempos em que os italianos estavam muito na moda, ele fazia a ponte aérea Roma—Paris, e não havia um lugar da moda onde não estivesse. Era um playboy italiano para ninguém botar defeito. Como dois dias depois do nosso jantar aconteceriam as eleições para prefeito de Roma, e como ele iria à cidade votar, me convidou para um almoço.

Quando desci, levei um susto: mais elegante que nunca, Luciano dirigia uma imensa Bentley amarela, quase gema, forrada de couro, bem da época em que se usava ter carrões. Mais espantada ainda fiquei quando ele me apresentou à sua adorável mulher, uma inglesa com quem tem quatro filhos e é casado há sessenta anos.

Como estava um dia glorioso, uns quarteirões adiante ele parou o carro, apertou um botão, e a capota se abriu. Nem sei quantas décadas fazia que eu não via um conversível, e muito menos andava num deles; mais *dolce vita*, impossível.

E, quando contei à minha amiga que ele era casado, ela quase desmaiou. Nunca soube, nem jamais desconfiou disso. Aliás, os casamentos italianos são sólidos, mas não é raro que os homens tenham mais de uma família, porém nunca na mesma cidade; de preferência, em outro país.

Jennifer, a filha de Luciano, criou um novo tipo de hotel em Roma: ela comprou (ou alugou) três andares de um edifício de apartamentos, que transformou num hotel cheio de charme e do maior bom gosto. Cada hóspede tem a chave da portaria, e assim se sente perfeitamente em casa. Esse tipo de hotel é chamado de *guest house*; o de Jennifer é o Casa Howard, e fica pertinho da Piazza di Spagna. E ela já está abrindo outro, em Florença.

Mas existe de tudo em Roma, até o Hotel de Russie, onde se hospedava a nobreza russa antes (ou depois?) da Revolução; os romanos chiques e aristocratas ainda vão lá, para desfrutar o belo jardim, onde se pode jantar *al fresco*, à luz de velas. Mas, para quem for ficar mais de uma semana, recomendo o Residenza di Ripetta, um maravilhoso apart-hotel do século XV, com um lindo pátio no meio, luxo total, a mil euros por dia.

Já meu hotel (230 euros por dia) estava sem internet havia uma semana, e sem previsão de volta. Alguém, algum dia, iria fazer o conserto — pura Itália. E, para comprar um chip de celular, tive que mostrar o passaporte e assinar vários papéis. Em Roma, o sinal de linha dos telefones é bip-bip-bip, que no resto do mundo é entendido como linha ocupada.

Voltemos ao Hotel de Russie. Situado na Via del Babuino, a dois passos da Piazza del Popolo, da Piazza di Spagna, da Via Condotti, do Vaticano e da Piazza Navona, é um oásis em pleno centro de Roma, com seu grande jardim e duas piscinas, uma interna, a outra externa; um lugar tranqüilo, silencioso, onde se esquece o frenesi da cidade.

É o hotel onde ficam as celebridades, como Leonardo DiCaprio, Tom Cruise, Steven Spielberg. Construído em 1816, foi recentemente remodelado, e todos os seus quartos têm nas paredes fotos autênticas — não reproduções — de Robert Mapplethorpe; os banheiros são de mármore, claro. Importantíssimo: o hotel dispõe de manobrista e *parking*, o que em Roma é o luxo dos luxos.

No hotel há um jardim que é chamado de Secreto, onde existe um lindo borboletário, criado em colaboração com a WWF, a World Wildlife Foundation, que até 1996 foi presidida pelo príncipe Philip, duque de Edimburgo, e você pode escolher entre um quarto normal, de 55 metros quadrados, cuja diária é 1380 euros, e a suíte Nijinsky, no último andar, com 239 metros quadrados e terraço. Esta custa um pouquinho mais: 9 mil euros, mais 10% de taxas. Mas, se você pensar que lá de cima terá uma vista de 360 graus da cidade, vai até achar barato.

Um dia, almoçando no restaurante do hotel, o Jardin du Russie, assisti a uma cena insólita. Chegou um árabe, vestido a caráter, com um garoto de uns dez, doze anos, provavelmente seu filho, vestido à maneira ocidental (até tênis ele usava), com os cabelos muito compridos. Teve início uma discussão entre eles; o mais velho chamou o maître, colocou um monte de notas em sua mão (sem contar) e, num francês perfeito, exigiu a presença de um barbeiro.

Não demorou muito, chegou o barbeiro, com uma malinha contendo tudo de que precisava. Pôs uma espécie de toalha branca no peito do garoto, que calmamente continuou a almoçar, cortou os cabelos dele e se retirou do restaurante, levando outro bolo de notas. Os demais clientes foram discretíssimos e não olharam, como se aquilo fosse a coisa mais natural do mundo.

Quando eles foram embora, não resisti e perguntei ao maître de quem se tratava; um potentado árabe, claro. E o maître me contou também que o menino estudava na Europa, para receber uma educação ocidental — tomava até aulas de mandarim, a nova coqueluche entre os milionários —, e tinha a mania, depois que todos dormiam, de misturar os sapatos que os hóspedes deixavam na porta dos quartos para engraxar: uma bota ficava ao lado de um sapato alto, um mocassim fazia par com uma sandália, enlouquecendo o engraxate.

Os romanos, de uma certa maneira, são parecidos com os brasileiros — sobretudo com os cariocas. Falam mal da cidade o tempo todo, dos políticos, da burocracia, do que não funciona, dos turistas que infestam as ruas, mas ai de um estrangeiro que ouse falar mal de Roma. São capazes de brigar feio, pois, no fundo, adoram a cidade.

Outra coisa curiosa é que os do norte — Milão, por exemplo — não suportam os napolitanos, que por sua vez detestam os milaneses, e assim é na Itália inteira. Talvez porque o país tenha sido unificado há pouco tempo, relativamente — 1848 —, cada região se considera melhor do que a outra, acha que a sua gastronomia é melhor, que seus habitantes são melhores, que suas mulheres são mais bonitas.

Se você está na região de Alba e pede um queijo parmesão, pode receber como resposta: "Parmesão? Mas não estamos em Parma". Já na Toscana, sua *pasta* será servida automaticamente com um *pecorino*. Não que não tenham outros queijos, mas cada região é fiel ao seu. Aliás, se for a Alba, escolha o mês de novembro, quando vai se regalar com as trufas brancas. Elas não podem ser conservadas, só podem ser comidas frescas; portanto, essa é a sua chance de comer uma das maravilhas deste mundo.

A Via Condotti continua sendo o centro de tudo o que há de mais chique em Roma, um vaivém geral, e especialmente dos italianos paqueradores, isto é, todos. Lá estão as lojas mais famosas, as joalherias mais lindas, copiadas no mundo inteiro, com peças coloridas, cheias de estilo; mas alguns dos endereços mais tradicionais, infelizmente, desapareceram. A Sadler's, onde se faziam as mais esplêndidas sandálias de couro cru, já não existe; Franceschini, a elegante camisaria, também desapareceu, e no lugar desses preciosos artesãos entraram as novas grifes, vocês sabem quais. É nelas que não se encontra o que se quer e se compra o que não se quer. Esse é o retrato de Roma.

Fiquei com a impressão de que lá não existem novos *points* — é ainda no Caffè Greco, em cujo banheiro o príncipe Dado Ruspoli entrava para se drogar, que se marcam encontros para tomar o melhor *cappuccino* da cidade, um *gelato* ou mesmo um suco. Seis da tarde é a hora do célebre aperitivo, sempre bastante animado. E, se você estiver procurando por uma bolsa Birkin da Hermès, metalizada, linda e absurdamente cara, vá direto à Eleonora, na Via del Babuino. Os jeans italianos são perfeitos, quase de alfaiataria, e nunca vulgares. As romanas, como as milanesas, são o clássico puro; costumam se vestir de cinza, bege, branco e preto, mas usam jóias poderosíssimas.

Mas no fim da Condotti, na Via del Corso, Roma volta a ser a Roma de cinqüenta anos atrás, parecida com a Avenida Copacabana: conservadora, com lojas de luvas curtas, até mesmo de crochê, de todas as cores, lingerie feita à mão, lencinhos bordados de renda, roupa de cama daquelas que não existem mais, e lojas só de camisas ou só de gravatas, nada a ver com o comércio moderno — fora, evidentemente, Zara, Gap, Foot Locker, Nike, Adidas, McDonald's — dessas não se escapa.

O melhor alfaiate de Roma continua sendo Caracenni, o melhor camiseiro, Batistoni, e Luciano ainda se lembra, com uma ponta de nostalgia, da loja Red and Blue, onde mandava fazer seus lenços sob medida. Porque para os muito chiques, como ele, um lenço não pode ter menos de 65 cm × 65 cm, deve trazer as iniciais bordadas à mão, claro, em marinho ou vermelho, e também a bainha feita à mão. Já os romanos, que fazem questão de se calçar maravilhosamente bem, vão a Londres encomendar seus sapatos.

Os homens vestem-se de maneira impecável, mesmo quando estão de roupa casual, com mocassins lindos, sempre sem meias, suéteres jogados nos ombros, camisas imaculadamente brancas ou azuis da cor do céu. As mulheres, no verão, usam sandálias *infradite*, de couro natural e inspiradas nas dos frades. Todos amam muito, comem muito, compram muito, e têm sorrisos lindos. Os romanos costumam passear de manhã nas praças e jardins, como a Villa Medici ou a Villa Borghese, e evitam transitar onde há turistas.

A aristocracia romana é cultíssima e discretíssima. Em ocasiões mais formais os homens estão de blazer azul-marinho, bege ou preto, sempre em cashmere. Mas à noite, quando é para usar cor, as italianas não economizam: o bege é dourado, o vermelho é Valentino, o preto é negro; usam e abusam da *haute couture*, e suas sandálias — as famosas sandálias romanas — e bolsas são invariavelmente da melhor qualidade. Isso não significa, porém, que é preciso se vestir muito bem para sair à noite: um jeans, uma bela camisa e uma estonteante maquiagem, e você está pronta para ir a qualquer lugar de Roma; e sempre um pouco descabelada, faz parte.

Mas também existem romanas bem loucas. Uma amiga me contou que estava num *nightclub* com o namorado, e por duas vezes passaram três mulheres fazendo charme para ele, sem tomar conhecimento da presença dela. Na terceira vez que elas passaram, minha amiga abriu a blusa e mostrou os seios. As mulheres sumiram e nunca mais foram vistas.

AVE-MARIA

Roma é cultura pura, é a *nascita del Ocidente*. Caminhe, veja, respire o Império Romano, os templos, as termas, os jardins com seus altos ciprestes. Roma é como uma típica *mamma* italiana, que abraça a todos que lá vivem e seus visitantes. É uma cidade mágica; elegante, com uma elegância cheia de adornos. O céu azul é límpido, as casas têm janelas verdes, os parques são extraordinários, e faz sol, quase sempre.

Quem não sabe que a embaixada brasileira é dos mais belos *palazzi* de Roma? Ele foi comprado quando o embaixador era Hugo Gouthier e, anos depois, foi todo reformado pela embaixatriz Lúcia Flecha de Lima (aquela que era amiga da princesa Diana). Situa-se na belíssima Piazza Navona, e, quando a praça está ensolarada, os restaurantes cheios, a música tocando, imagino como os funcionários da embaixada não gostariam de descer e tomar parte na festa que acontece todos os dias e o dia todo.

Quando estive lá — na praça, não na embaixada —, fazia um dia tão lindo, que fiquei esperando passar uma Vespa com Gregory Peck dirigindo e Audrey Hepburn na garupa. Aliás, a Piazza Navona para mim será sempre inesquecível. Foi lá que, procurando os óculos na bolsa, botei a máquina fotográfica em cima da mesa e em segundos ela havia desaparecido. São rápidos, os garotos que circulam por ali.

O trânsito de Roma é uma alucinação. Como as ruas são muito estreitas, os carros e as charretes quase se tocam, e as Vespas nunca ouviram falar em mão e contramão. E tem mais: nas calçadas (também estreitas) os turistas caminham com seus bebês e respectivos carrinhos, as pessoas andam tranqüilamente no meio da rua, ouve-se uma barulheira infernal de buzinas, todo mundo grita, e as mesas das *trattorias* são na rua; um caos total.

Uma vez, ia atravessando a rua — o sinal estava verde para mim e eu acreditei — quando veio um carro, passou o sinal vermelho e quase me atropelou. Sabe quem estava ao volante? Um padre. Será que isso não é pecado?

Se você está comendo sozinha numa *trattoria* e passa um homem, ele abre um sorriso e te diz *buon giorno*. E não é paquera, porque ele continua seu caminho, dizendo *buon giorno* a todas as mulheres; é uma maneira de viver, faz parte. E, quando estão parados numa esquina e passa uma mulher, os homens fazem cara de grandes conquistadores e dizem: *"Belissima"*. Também para nada, só pela alegria de viver.

Desprezam a tecnologia, imersos numa burocracia monumental, numa politicagem tão enlouquecida que Berlusconi voltou ao poder nos braços do povo; aliás, não há um italiano que não conte que Berlusconi, quando jovem, tocava piano e cantava num desses navios que fazem cruzeiros pelo Mediterrâneo. E alguns juram que o viram cantando, e que ele tinha até uma bela voz.

Eu passava pela Via del Babuino quando vi uma mulher deslumbrante que demorei alguns segundos para reconhecer. Levando pela coleira três galgos exatamente iguais, ela dava ordens ao pessoal que descarregava móveis de um caminhão: sofás, poltronas, mesas, cômodas, contribuindo assim para a desordem do trânsito romano. Mas ela podia: era Vanessa Redgrave, que parecia estar instalando ali um novo lar.

Os turistas são uma praga em Roma, tal a sua quantidade; em outros lugares eles se misturam mais, chamam menos atenção, mas em Roma, talvez por ela ser uma cidade relativamente pequena e cheia de monumentos mais do que históricos, mal dá para andar. Tentei ir à Fontana di Trevi, porém foi impossível.

Mas Roma é uma cidade, eu diria, quase provinciana. Lá não existem shoppings, e a única loja grande é La Rinascente, aberta em 1867; e sabe quem lhe deu esse nome? O poeta D'Annunzio. E os antigos conventos estão todos virando hotéis.

O Pantheon é o lar dos gatos; são dezenas, centenas, que escolheram esse lugar para morar — gatos sempre tiveram bom gosto. Conta a lenda que numa antiga caserna havia muitos ratos e muitos, muitos gatos, que se encarregavam da limpeza geral. Mas um dia chegou um novo comandante, que achou que tinha gatos demais ali. Os soldados puseram os pobrezinhos em sacos e levaram todos para o Pantheon. Resultado: a multidão de ratos foi crescendo, e a caserna ficou tão infestada que à noite mandaram os soldados de volta, com os mesmos sacos, para buscar os gatos. Mas muitos ficaram, e, como se reproduzem com facilidade, o Pantheon passou a ser a casa dos gatos de Roma.

Como eu já disse, as ruas de Roma são um caos, mas um caos muito simpático. Há música em toda parte: acordeons se misturam com violinos, guitarras, e todo mundo canta. O repertório? De tangos a boleros, de bossa nova a música francesa, tudo por um punhado de euros. E, ao mesmo tempo, tocam os sinos das igrejas, que não são poucas.

Fui almoçar no Campo dei Fiori, uma praça linda que até parece com as de Veneza, e uma mulher, sozinha, começou a cantar altíssimo — e bem — a *Ave-Maria*. Foi um momento único.

E VIVA ROMA

Quando se pergunta aos romanos qual a sua nacionalidade, eles jamais dirão que são italianos, mas romanos. Costumam andar de terno e gravata, e as romanas não estão nem aí para a moda das revistas. São todos muito gentis; quando se pede uma informação, respondem com a maior boa vontade. Mas as informações nunca são as mesmas. Não há duas iguais.

Uma amiga minha foi, aos dezoito anos, morar na Itália, e conseguiu emprego de garçonete num restaurante. Toda vez que passava, um romano lhe dava um tapinha sabe onde. Ela foi se queixar ao patrão, que lhe ensinou o que fazer. Olhar para o homem com uma cara bem brava e dizer a ele: *"Guardare ma non tocare"* — "Olhe mas não toque".

O melhor cabeleireiro de Roma é Sergio Volanti, na Via Condotti. Sobe-se até ali por uma bela escadaria de mármore, bem larga e com os degraus bem baixos. Essa é, aliás, uma característica de vários *palazzi* de Roma, inclusive o de nossa embaixada junto ao Vaticano. Para que as carruagens pudessem subir as escadas e com isso poupar suas belas *principesse*.

Uma instituição nacional, em Roma, são os *guaglioni*, grupos de rapazes entre quinze e vinte anos que não fazem absolutamente nada e ficam sentados na barqueta — a fonte em forma de barco — da Piazza di Spagna, mexendo com as mulheres que passam.

Tenho uma amiga elegantíssima, já não tão jovem — aliás, nada jovem — mas bem magra, com um corpo legal. Ela passou, os *guaglioni* a viram de costas e começaram a cercá-la, de molecagem. Quando a viram de frente, puseram-se a gritar: *"Dietro liceo, davanti museo"* — "De costas, o liceu; de frente, o museu".

Outra amiga, esta muito bonita, se arrumou toda para andar pela Via Condotti: botas pretas, casaco de Givenchy preto forrado de pele, e uma maquiagem bem como ela gostava: os olhos exageradamente pintados de preto. Quando os garotos a viram, começaram a gritar: *"Guarda la Draculina, guarda la figlia del vampiro"* — "Olha a Draculinha, olha a filha do vampiro". Ela, que pensava estar abafando, ficou tão vexada que entrou correndo numa loja e saiu pela porta dos fundos.

Outra ia de braço com o marido quando um deles a segurou pelo outro braço e disse: *"Lascialo, quello lì, io sono molto più bello"* — "Larga esse aí, eu sou muito mais bonito"; ainda bem que o marido não percebeu. Ah, os *guaglioni*. Só mesmo em Roma.

Roma tem paixão pela beleza, e a beleza dos romanos é tão grande que dois amigos meus, gays, entraram numa loja e compraram quase tudo o que havia ali, só para olhar os vendedores. E um deles me contou que passou por uma casa em construção e que todos os operários pareciam manequins de Armani.

O melhor programa em Roma é passear sem rumo; qualquer lugar que você olhe é bonito, é bonito e é bonito. Um lugar especialmente lindo é o imenso parque de Villa Borghese, no alto de uma colina, de onde se vê Roma inteira; e um passeio pelo Lungotevere, qualquer das margens, é um luxo visual incomparável. Quem tem boca — e olhos — vai a Roma, mas, se tem juízo, nunca em julho e agosto.

AVISO AOS NAVEGANTES

Com todas as agruras que é viajar hoje em dia — as filas no check-in, as revistas para ver se você não é terrorista, as malas que são desfeitas e refeitas —, viajar ainda é das melhores coisas do mundo, e é bom aproveitar agora, já, porque os chineses estão chegando.

ENDEREÇOS